RÉVOLUTION TYPOGRAPHIQUE

JACQUES DAMASE

RÉVOLUTION TYPOGRAPHIQUE

depuis Stéphane Mallarmé

GALERIE MOTTE
GENÈVE

L'étrange poème qui parut en mai 1897 à Londres dans la revue Cosmopolis «Un coup de dés jamais n'abolit le hasard» peut être considéré, historiquement, comme le premier boulet de canon qui réveilla l'esprit du livre moderne.

«La surprise des contemporains n'eut d'égale que leur consternation, l'une et l'autre étaient compréhensibles. Mallarmé, en effet, avait passé toutes les bornes. Imaginez dix pages de revue dans lesquelles les mots du poème, au lieu d'être sagement alignés vers par vers selon des formules convenues, étaient distribués apparemment au hasard, à travers les pages, certains d'entre eux occupant à eux seuls une page entière. Les autres entourés de blancs importants et imprimés dans dix espèces différentes de caractères typographiques, allant de la majestueuse grande capitale à une fluide italique, en passant par diverses variétés de bas de casse romain. On découvrait des mots importants, soulignés par la typographie et débordés par des phrases fuyantes courant de biais, du haut en bas de la page. Au reste, le texte composé d'une immense phrase dénuée de toute ponctuation était, à première vue, totalement incompréhensible. D'où ébahissement et déception chez les premiers lecteurs (à part Valéry, Gide) qui, par respect pour le chef du Symbolisme, ne parlèrent guère de cette œuvre insolite, qui apparaissait à la plupart comme un essai avorté, témoignant sans doute d'une belle audace, mais encore plus d'une incohérence mentale inquiétante. Mallarmé, d'ailleurs, avec son ironie ordinaire ne s'attendait pas à plus de compréhension. Le 30 mars, il disait à Valéry, en lui donnant un jeu d'épreuves corrigées du poème: «Ne trouvez-vous pas que c'est un acte de démence ?»

Il s'agissait surtout, continue monsieur Walzer, de voir dans les mots et dans les vides du poème, des merveilles de musique et d'architecture, des trésors de suggestions et de métaphysique. Car ce coup de dés n'a rien — on s'en doute — d'un essai curieux que Mallarmé aurait risqué un jour par manière de fantaisie ou d'improvisation. C'est au contraire une tentative hautement concertée, dont tous les éléments font sonner un sens plein. Que voulait-il faire ? Révolutionner la présentation de la page ? Fatigué de la monotonie qui entache obligatoirement et ennuyeusement la prosodie traditionnelle, il essaie autre chose qui n'est ni prose, ni vers libre, mais une pensée poétique qui se distribue sur les pages et s'y soutient par le jeu des blancs et des caractères.

Dans ses méditations de 1895 sur le Livre, instrument spirituel, Mallarmé avait prévu avec assez de netteté la nouvelle formule : «Je méconnais le volume et une merveille qu'intime sa structure, si je ne puis sciemment imaginer tel motif en vue d'un endroit spécial, page et la hauteur à l'orientation du jour la sienne ou quant à l'œuvre».

Avec ce goût particulier qu'il eut toujours pour la belle typographie, Mallarmé chercha dans ses dernières années des procédés de renouvellement et trouva des idées intéressantes dans la considération des affiches, des annonces de journaux ou des partitions musicales. En songeant à ce qu'on pourrait faire de neuf dans le domaine de la page écrite, il décrit par avance de façon parfaite, les principales caractéristiques du coup de dés : «Pourquoi un jet de grandeur, de pensée ou d'émoi, considérable phrase poursuivie, en gros caractères, une ligne par page à emplacement gradué, ne maintiendrait-il pas le lecteur en haleine, la durée du livre, avec appel à sa puissance d'enthousiasme : autour, menus, des groupes, secondaires d'après leur importance, explicatifs ou dérivés, un semis de fioritures ?»

Cette vision simultanée constituait l'apport fondamental de la page, du poème (cette disposition typographique qui était l'essentiel de sa tentative constate Valéry), et c'est sur elle que Mallarmé insiste dans la préface qu'il a mise à son texte.

«On ne trouvera ici rien de neuf, explique-t-il, sinon un espacement de lecture. Dans une page ordinaire de poèmes en vers courts, le blanc occupe les deux tiers de la page ; je respecte cette proportion, mais opère une redistribution des blancs qui remplacent la ponctuation, interviennent soit pour opérer une transition d'une image à l'autre, soit pour marquer le rapport plus ou moins direct des groupes de mots — subdivision prismatique de l'idée — avec la phrase centrale.»

Composer et ordonner des îlots de blancs, dit monsieur Walzer (que je cite toujours)[1] lui paraît une opération aussi importante que l'acte d'écrire «significatif silence qu'il n'est pas moins beau de composer que des vers». Cette disposition a l'avantage de porter en elle-même, avec évidence, son propre rythme; un simple coup d'œil sur la double page indique d'emblée les passages ou les mots les plus importants sur lesquels il convient de ralentir, et les passages les plus fluides que la voix devra parcourir plus rapidement. Au fond, le poème conçu doit se lire comme une partition musicale... Ainsi le lecteur du «Coup de dés» sait, grâce à la disposition typographique du texte, si l'intonation doit monter ou descendre, le rythme se précipiter ou ralentir. Les blancs et les différences de caractères remplacent les barres et les signes de mesure, la place des notes sur la portée, les indications de mouvement et d'intensité, c'est-à-dire l'ensemble des sigles dont dispose le compositeur mais dont le poète est privé. De plus, les empiètements des lignes typographiques, leurs rapports réciproques sous le regard de la parenté des lettres, la recurrence des idées ou des images, constituent une sorte de contrepoint et contribue à rapprocher le poème de la symphonie. Son contrepoint est véritablement un contrepoint et c'est au concert que Mallarmé en a appris le secret: «Leur réunion s'accomplit sous une influence, je sais étrangère à celle de la Musique entendue au concert; on en retrouve plusieurs moyens m'ayant semblé appartenir aux Lettres, je les reprends.»

Mallarmé n'était pas cependant le premier écrivain du XIXe siècle à avoir eu ces préoccupations. Dès 1806 Boismade, 1840 les calligrammes de Nicolas Cirier (Oeil typographique), l'exemple de Lewis Carroll en 1865 annonçaient ce que Mallarmé allait réaliser et expliquer en y ajoutant et en y voyant de nouveaux sens. En 1867, on voit apparaître les associations alphabétiques de Gottfried Keller.

---

[1] Walzer: «Essai sur Stéphane Mallarmé».

Les Goncourt indiquent qu'en 1887 Rodenbach pensait la mise en page du livre comme l'orchestration d'une affiche. Christian Morgenstern, en 1905, composait «La chanson nocturne du poisson» d'une manière complètement abstraite et qui allait servir d'exemple à Man Ray et à tant d'autres.

Mais c'est l'exemple du «Coup de dés» qui, certainement, autorisa de nombreux écrivains à bouleverser la présentation traditionnelle de la page pour y inscrire des compositions simultanées ou des calligrammes, et l'on peut voir un effort pour imiter les choses par un certain graphisme. C'est à Mallarmé, assure Walzer, que peuvent se référer les innovations typographiques les plus considérables, des Stèles de Segalen au Mobile de Michel Butor, en passant par les audaces diverses d'Apollinaire, de Barzun, de Claudel, de Joyce, d'Ezra Pound, de Cummings ou de Faulkner.

Cette étude n'a pas la prétention d'être une thèse mais seulement de montrer chronologiquement les meilleurs exemples de ce qui a marqué la typographie depuis le début du siècle. Ce ne sera pas non plus un livre de recettes car chaque problème, chaque idée nécessite une recherche différente.

La révolution typographique et poétique fut influencée très certainement comme Mallarmé par les affiches, les annonces, voir les partitions musicales et ce sont encore aujourd'hui les affiches, les emballages et publicités de toutes sortes à notre portée dans les revues ou dans la rue qui amènent cette poésie nouvelle dont parlait Cendrars et qui sont susceptibles de transformer la présentation intérieure des livres comme elles ont déjà modifié les couvertures.

La publicité en général disposant de moyens plus importants que les éditeurs ou les artistes, peut aussi se permettre de jouer avec les couleurs et nous touchons là un domaine auquel pensait Rimbaud et dont nous reparlerons plus loin, et qui fut très peu exploité typographiquement.

L'édition en 1913 du premier livre par Blaise Cendrars et Sonia Delaunay «La prose du Transsibérien et de la petite Jehanne de France» touchait à ce but.

Il s'agissait d'une étonnante feuille de deux mètres de long se présentant sous la forme d'un pliage à la chinoise et qui est aussi, comme l'écrit Michel Hoog, celui des cartes Michelin pour automobilistes. Le texte désarticulé en vers libres était composé en plus de dix corps ou caractères différents, chevauchait continuellement une illustration exécutée au pochoir. Le simultanéisme de ce livre est dans sa présentation simultanée et non illustrative. Les contrastes de couleurs et le texte forment des profondeurs et des mouvements qui sont l'inspiration nouvelle, écrit lui-même Cendrars dans le «Gil Blas» du 16 octobre 1913. Ce livre, devenu un des plus grands livres de notre époque, fut également montré à Berlin la même année au Herbst Salon. Il allait influencer les futuristes et bien d'autres dont Fernand Léger.

Mais les «choses» sont dans l'air ou n'y sont pas. C'est pour cela qu'il est toujours difficile de vérifier les véritables influences. Le livre de Kandinsky «Du spirituel dans l'art» date de 1910, «Les préoccupations premières» de Marinetti, de 1912, et nous retrouverons chez tous les futuristes, Boccioni, Severini, Carra, Balla, Soffici, etc. les traces de ces recherches.

Apollinaire publie en 1914 ses Idéogrammes lyriques qui sont les prémices des Calligrammes de 1917. Dans sa conférence de 1917: «L'esprit nouveau et les poètes», il mentionnait ces artifices typographiques, et nous lui devons un véritable monument qui annulait totalement ou presque la possibilité de faire d'autres calligrammes après lui sans faire de l'Apollinaire.

Apollinaire fut l'ami des cubistes qui donnèrent à la lettre, en l'incorporant à la peinture, un nouveau titre de noblesse.

On devra ranger, note Maurice Raynal, la lyrique invention des papiers collés parmi les moyens les plus purs que l'art ait tenté pour s'échapper à la contrainte implacable qui la poursuit et à l'emprise étouffante de la réalité la plus sempiternelle.

En 1912, Braque a été le premier à introduire dans ses tableaux, des caractères de l'alphabet qu'il utilisait comme signaux.

L'artiste, que ce soit Picasso ou Braque, a obéi au seul besoin dicté par sa sensibilité d'assembler des formes suivant un thème purement inventé par ses facultés plastiques. Le seul résultat qu'il en attendait consistait en l'organisation d'un ensemble de formes soutenues par... un papier journal (par exemple) considéré non comme un matériau décoratif mais comme du simple matériau. Et les lignes de l'imprimerie suivaient le sens des effleurements du pinceau, dressaient des colonnes de grisaille que la lumière et l'ombre faisaient tourner, les lettres grasses jouaient dans leurs méandres graphiques le dessin d'objets imaginaires, les blancs et les noirs orchestraient des mesures indispensables au relief de la symphonie... Ainsi il y avait là un appel à la sensibilité pure, une invitation à ressentir une émotion première, à éprouver un choc visuel absolument désintéressé, en dehors de toute ingérence intellectuelle du sujet, en dehors des ressources polytonales de la couleur, en dehors de toute sensibilité.

Parallèlement aux compositions de Robert et Sonia Delaunay et de Léger dans le domaine de la couleur, les papiers collés et les lettres de Picasso et de Braque, celui de la grisaille ou encore les recherches de Juan Gris qui ont enseigné aux artistes publicistes la valeur de surprise plastique que des éléments inattendus peuvent fournir lorsqu'ils sont associés avec talent.

De là sont issues ces compositions publicitaires si curieuses et qui forment bien souvent la partie la plus captivante de tant de magazines à cause de la vie bien vivante si je puis dire de leur tournure plastique. Morceaux de nature morte, fragments de profils plus ou moins perdus, objets suggérés, et par-dessus tout la symphonie sobre, si éloquente du jeu des lettres typographiques. Toutes ces orchestrations enchantent le regard, séduisent par leur mystère immédiat et retiennent l'attention parce qu'ils sont des sortes de cris, des cris inarticulés et qui portent la sensibilité visuelle au comble de son émotion, comme les papiers collés peuvent transporter l'imagination plastique à la source même de sa source.

L'intention demeure la même : provoquer une émotion d'ordre plastique à des fins différentes, mais par les mêmes moyens, c'est-à-dire ceux qui forment la base de notre condition vitale, notamment cette attirance pour l'expression la plus libre de ce besoin éternel de fixer pour les ravir à la mort les formes mouvantes qu'elles soient graphiques ou colorées.

Enfin pendant la guerre, en 1916 à Zurich, Dada vint et avec lui Tristan Tzara.

Tzara qui en commentaire à « l'amiral cherche une maison à louer » offre ces notes aux bourgeois :

Les essais sur la transmutation des objets et des couleurs des premiers peintres cubistes : Picasso, Braque, Picabia, Duchamp-Villon, Delaunay, suscitaient l'envie d'appliquer en poésie les mêmes principes simultanés.

Villiers de L'Isle-Adam eut des intentions pareilles dans le théâtre où l'on remarque les tendances vers un simultanéisme schématique. Mallarmé essaya une réforme typographique dans son poème « Un coup de dés jamais n'abolit le hasard ». Marinetti popularisa cette subordination par son « Paroles en liberté » ; les intentions de Blaise Cendrars et de Jules Romains dernièrement, amenèrent M. Apollinaire aux idées qu'il développe en 1912 au « Sturm » dans une conférence.

Mais l'idée première, en son essence, fut extériorisée par M. Barzun dans un livre théorique « Voix, rythmes et chants simultanés » où il cherchait une relation plus étroite entre la symphonie polyrythmique et le poème ; il opposait aux principes successifs de la poésie lyrique une idée vaste et parallèle. Mais les intentions de compliquer en profondeur cette technique (avec le « Drame Universel ») en exagérant sa valeur au point de lui donner une idéologie nouvelle et de la cloîtrer dans l'exclusivisme d'une école échouèrent.

En même temps, M. Apollinaire essayait un nouveau genre de poème visuel qui est plus intéressant encore par son manque de système et sa fantaisie tourmentée. Il accentue typographiquement les images centrales et donne la possibilité de commencer à lire un poème de tous les côtés à la fois. Les poèmes de MM. Barzun et Divoire sont purement formels. Ils cherchent un effet musical qu'on peut imaginer en faisant les mêmes abstractions que sur une partition d'orchestre. Comme le précisait Apollinaire : «Je voulais réaliser un poème basé sur d'autres principes qui consistent dans la possibilité que je donne à chaque écoutant de lier les associations convenables». Il retient les éléments caractéristiques pour sa personnalité, les entremêle, les fragmente, etc., restant tout de même dans la direction que l'auteur a canalisée.

«Le poème que j'ai arrangé (avec Huelsenbeck et Janco) ne donne pas une description musicale, mais tente à individualiser l'impression du poème simultané auquel nous donnons par là une nouvelle portée.»

«La lecture parallèle que nous avons faite le 16 mars 1916, Huelsenbeck, Janco et moi, était la première réalisation scénique de cette esthétique moderne.»

D'un côté il y avait les dadaïstes et plus tard les surréalistes allant de Tzara à Hugo Ball, en passant par Raoul Haussmann et Grosz, dont nous trouverons les meilleurs modèles dans ces pages, et de l'autre côté avant eux et après, les futuristes avec, en particulier, Marinetti.

Les expériences ou manifestes de Marinetti sont difficiles à suivre aujourd'hui. Il semble que ses recherches n'ont pas vraiment abouti, et même ses pages assez magnifiques des «Mots en liberté» publiées en 1919, étaient bien loin d'être intégrées. Mais nous sommes d'accord sur certains points avec lui, notamment quand il écrit : «J'entreprends une révolution typographique dirigée surtout contre la conception idiote et nauséeuse du livre de vers passéiste avec son papier à la main, genre seizième siècle, orné de galères, de minerves, d'apollons, de grandes initiales (ce qui ne l'empêche pas, lui, d'en mettre !) et de paraphes, de légumes mythologiques, de rubans de missel, d'épigraphes et de chiffres romains (qui se répètent constamment dans son texte). Le livre doit être l'expression futuriste de notre pensée futuriste. Mieux encore : ma révolution est dirigée en outre contre ce qu'on appelle harmonie typographique de la page (nous sommes d'accord avec lui) qui est contraire aux flux et reflux du style qui se déploie dans la page. Nous emploierons aussi dans la même page, trois ou quatre encres de couleurs différentes (je n'en connais pas un exemple) et vingt caractères différents s'il faut. Par exemple : italiques pour une série de sensations rapides et semblables, gras pour les onomatopées violentes, etc., etc. (ces etc. sont un peu vagues !). Nouvelle conception de la page typographiquement picturale.»

Après nous avoir expliqué l'ordonnance d'une orthographe libre expressive, il attaque un autre chapitre intitulé : Simultanéité, tables synoptiques de valeurs lyriques. Dans les «Mots en liberté», nous formons parfois des tableaux synoptiques de valeurs lyriques qui nous permettent de suivre en lisant simultanément plusieurs courants de sensations croisés ou parallèles. Ces tables synoptiques ne doivent pas être le principal objet de recherches mots-libristes, mais un moyen pour augmenter la force expressive du lyrisme. Il faut donc éviter toute préoccupation picturale, et ne pas s'amuser à faire des jeux de lignes bizarres (sic), ni d'étranges disproportions typographiques. Tout ce qui dans le «Mots en liberté» ne concourt pas à exprimer avec une splendeur géométrique et mécanique la fuyante sensibilité futuriste, doit être banni.» Le mot-libriste Cangiullo dans son poème «Fumeurs de IIe classe» fut très habile en donnant par cette analogie dessinée : «FUMEER», les rêveries monotones et l'expansion de la fumée, durant un long voyage dans un train. Pour exprimer la vibration universelle avec un maximum de force et de profondeur, les mots en liberté se transforment naturellement en AUTO-ILLUSTRATION moyennant l'orthographe et la typographie libre expressive, les tables synoptiques de valeurs lyriques et les analogies dessinées (ex. : le ballon dessiné typographiquement dans son poème «ZZANG TOUMB-TOUMB»). Dès que ce maximum d'expression est atteint, les mots en liberté reprennent leur ruissellement normal. Les tables synoptiques des valeurs sont aussi la base de la critique des mots en liberté (ex : «Bilan 1910-1914» du mot-libriste Carra).

L'orthographe et la typographie libre expressive servent à exprimer la mimique du visage et la gesticulation du conteur. Les mots en liberté utilisent (en l'exprimant intégralement) cette partie d'exhubérance communicative et de génie épidermique que les esprits méridionaux ne pourraient guère exprimer dans les cadres de la prosodie, de la syntaxe et de la typographie traditionnelle. Ces énergies d'accents et de voix trouvent aujourd'hui leur expression naturelle dans les mots déformés et dans les disproportions typographiques correspondant aux grimaces du visage et à la force ciselante des gestes. Les mots en liberté deviennent ainsi le prolongement lyrique et transfiguré de notre magnétisme ANIMAL.

Lire, signifie à l'origine deviner. Au commencement se placent de nouveau la lettre et le verbe, et ils sont plus réels que l'objet dessiné. Ils sont les représentants de l'esprit, non un outil intellectuel. La lecture analytique est gênée, car les lignes, les couleurs et l'essence des mots constituent une unité. Il en était ainsi au début du Moyen Age (manuscrits carolingiens et irlandais). L'écriture islamique et en particulier les caractères coufiques présentent des phénomènes analogues. Chez Klee, l'influence de l'art arabe et de l'art irlandais est également sensible dans le tracé des arabesques et dans l'invention des formes purement décoratives.

Les tableaux-poèmes de Paul Klee

Créés entre 1916 et 1918, les idéogrammes de Klee (étude de Grohmann) opèrent eux aussi à l'aide de signes «sublimes». Ils sont le fruit de l'expérience que constituèrent certains poèmes chinois et ils illustrent l'attitude de Paul Klee en face du mot, de la lettre et de l'esprit. En 1912, Braque nous l'avons vu, introduit la lettre. Klee reprend le procédé à son compte. Mais il le fait dans l'esprit de l'«ars memorativa» de la Renaissance. Les lettres remplacent les mots, les images concrètes (le ventilateur), les concepts, et les idéogrammes de son invention se substituent aux valeurs symboliques. Mais ce que recherche Klee, ce n'est ni l'allégorie de la Renaissance, ni la symbolique affective de la nature propre au romantisme, c'est au contraire une langue chiffrée qui ressemble à un texte enigmatique... En dehors de l'alphabet des idéogrammes, il existe d'autres signes analogues: les nombres, les points d'exclamation, les points, les perpendiculaires, les pendules, puis à un niveau plus élevé, les croix, les pavillons, les yeux, les éclairs, les astres, enfin au sommet des fragments d'objets ou membrures qui sont «pars pro toto». Dans l'«Oiseau précipité» (1919) la signification d'un 13 et d'une flèche tournée vers le bas est évidente. La difficulté augmente déjà là où les chiffres interfèrent. Il en résulte des allusions et des associations; l'objet et le thème deviennent fonction de la conscience qui fixe son propre contenu. Connexions et interactions permettent alors d'apercevoir des rapports et des développements, et même des opérations intellectuelles que l'on ne croyait pas susceptibles d'être représentées, deviennent visibles dans les rébus de Paul Klee.

Les tableaux qui méritent vraiment le titre d'idéogrammes sont des compositions formelles de texte. Mais le texte est recréé dans l'esprit de la forme. La lettre isolée oublie la banalité de l'alphabet et n'est pas plus lisible que les autres idéogrammes «Haute et resplendissante est la lune» 1916, «Lors surgi de la nuit grise» 1918.

Les Russes, le Bauhaus, et les constructivistes

Les Russes disposent de caratères admirables et qui se prêtent directement aux compositions les plus abstraites. Les principaux: Kandinsky en 1910, Malevitch avec son carré blanc (1917), Rodchenko avec ses rouge jaune bleu (1921), Gontcharova illustrant les poètes russes, Maiakovsky ayant déjà ces préoccupations en 1912, Velimir Chlebnikov publiant entre 1917 et 1928 de très beaux poèmes pleins de recherches et disant qu'il fallait employer les mots pour construire un poème comme les pierres qui montent une maison. Un autre Russe — Ilya Zdanévitch — publiait en 1922 un livre magnifique employant même les filets et tous les autres signes typographiques existants pour dessiner des lettres.

Les livres de Chlebnikov comme ceux d'Ilya Zdanévitch étaient construits dans un certain désordre. Deux autres allaient à la même époque ou un peu plus tard se joindre aux groupes des constructivistes pour ramener la typographie à l'ordre: Moholy Nagy et surtout Lissitzky.

Le Bauhaus s'intéresse au problème typographique très tôt et même crée quelques sortes de caractères modernes mais ne réussit pas vraiment de livres dont peuvent sortir des idées importantes. Les recherches de publicité du Bauhaus, de montages photographiques, d'affiches sous la direction de Moholy Nagy sont plus sérieuses. Enfin, cette école calme la folie qui régnait dans ce domaine depuis les dadaïstes et les futuristes.

Les membres du groupe «De Stijl» dominés par Théo Van Dœsburg créent en Hollande une revue dont le premier numéro paraît en 1917. Le format, le graphisme des couvertures sont remarquables. Van Dœsburg sous le pseudonyme de Bonset publie des poèmes «lettristes» admirablement mis en page. En compagnie de Schwitters, il publie un ouvrage très court «Die Scheuche Märchen» mais magnifique. Comme chez Lissitzky, pour une fois la typographie (ce qui est rare) a de l'humour. Chez Schwitters, il y a deux côtés : l'un très désordonné comme certains de ses Merz, l'autre au contraire, très rigoriste. Schwitters publie dans le «Sturm» en 1928, un long article sur la typographie. L'ensemble est fort décevant. Quelques phrases seulement valent la peine : «L'industrie fait l'arrangement typographique sans le créer. On doit faire la composition par rapport à la publicité et la publicité en fonction de la lumière...»

«Il y a concentration (en publicité) sur un sujet central (par exemple : un homme regarde volontiers une jolie femme). Le tout, l'ensemble de la composition doit attirer le regard sur un point central, c'est ce qu'on atteint grâce à la composition...»

«Il n'y a pas de règles dans la composition typographique.»

«Des typographies claires et simples, un arrangement sans complication, c'est l'essence de la nouvelle création typographique...»

«Du temps de Gutenberg, il y avait de meilleures typographies qu'aujourd'hui. Plus les machines nous aident et deviennent parfaites, moins bien sont les choses. L'aide de l'artiste, son imagination sont de plus en plus nécessaires. En 1927, on a fondé une nouvelle revue Pressa où les œuvres des nouveaux chercheurs ont été publiées...»

Il faut citer cette année-là le «Film-Plakart» de Jan Tschichold et son livre très important sur la typographie qu'il publia à Berlin en 1928, d'une ligne très constructiviste et où il s'attachait à montrer surtout que les pages publicitaires par leur logique pouvaient inspirer les artistes en ce métier. Il y eut aussi les pages d'Otto Gœdecker et ses personnages uniquement composés de filets d'imprimerie.

Du groupe de Stijl, que patronna de loin Mondrian, sort Van der Leck qui fit paraître beaucoup plus tard un livre où les caractères étaient entièrement dessinés et où les pavés ou carrés de couleur interviennent très intelligemment: «Les contes d'Andersen».

En Belgique, sous la direction de Michel Seuphor, paraît la revue «Overzicht» dont toutes les couvertures étaient admirables, spécialement une dessinée par Robert Delaunay. A l'intérieur, on trouvait également ou des mises en page intéressantes ou des exemples typographiques qui correspondaient aux préoccupations du moment.

Des Hongrois comme Kassak ou des Polonais comme Berlewy, sous l'influence de Malévitch et de Mondrian, faisaient aussi preuve de talent, de simplicité, de dépouillement.

Ce dépouillement, Mallarmé l'avait indiqué en fondant sa poésie sur le pouvoir incantatoire des mots, leur espacement, leur alignement. «L'œuvre pure, explique-t-il, implique la disparition élocutoire du poète; qui cède l'initiative aux mots, par le heurt de leur inégalité mobilisée; ils s'allument de reflets réciproques comme une virtuelle traînée de feu sur les pierreries remplaçant la respiration perceptible par l'ancien souffle lyrique ou la direction personnelle de la phrase...»

L'influence de Mallarmé ne concerne pas seulement la poésie, elle coiffe tous problèmes typographiques, et elle pénètre aussi très vite dans les pays de langue allemande avec Stephan George, les expressionnistes comme Trakel, Werfel et Gottfried Benn pour ne citer que quelques noms.

Récemment encore dans une conférence prononcée à Marburg, Benn a tracé le problème de la poésie lyrique dans un sens mallarméen et face au danger de la narration a posé le mot dans sa dureté de pierre comme point de départ à toute création poétique.

La leçon de Mallarmé, qui fut à son époque la plus retentissante, ne fut pas entendue que par les artistes du verbe, heureusement: comme une étincelle jaillie d'un foyer, elle va allumer des incendies au loin, la vertu exemplaire de son œuvre eut dans le milieu des peintres cubistes un effet stimulant pour l'élaboration d'une nouvelle méthode picturale qui se proposait de construire à partir des éléments.

Dans un article fort documenté, le critique italien Belloli s'intéressait vivement à ces problèmes de révolution typographique, mais en rapport exclusif avec la poésie. Ce qui me paraît insuffisant.

Dans le domaine du livre en général et du roman en particulier tout reste à faire. Certes, il y a eu des expériences récentes : usages des blancs, jeux de mots, alignements, espacements différents, mais toutes ces recherches ou trouvailles sont au stade enfantin.

Je ne crois pas capitale l'idée de supprimer les virgules, pas plus que de les admettre ; je trouve aussi sans intérêt, comme certains jeunes romanciers le font, de supprimer les majuscules.

Certains auteurs sans talent utilisent ces petites recettes pour mieux tromper et rendre leur texte impropre à la lecture ; petites trouvailles pénibles et fatigantes. Ces artifices sont à la littérature ce que la décoration est à l'art du peintre. Tout révolutionner, dit Mathieu Galley, pourquoi pas ? Pourtant cette révolution n'est pas entièrement ni formelle ni illusoire.

Je pense que tout est à faire. L'utilisation rationnelle du livre de poche donne envie de voir d'autres livres, des livres à voir.

Le livre de luxe ou dit de luxe vit dans une certaine tradition indécrottable, dans la désolation de la belle page typographique du XIXe siècle bien rectangulaire ou carrée, aux lignes grises, monotones, bien rangées à gauche et de l'illustration en page de droite dite belle page. A part quelques exceptions que l'on compte sur les doigts de la main : le Transsibérien, le Jazz de Matisse, quelques ouvrages de Joan Miró et de Pierre Lecuire. Les peintres en général qui « illustrent » les livres sont des prisonniers, prisonniers de la page qu'ils associent au rectangle ou au carré de leurs toiles. Un livre, une page n'est pas une toile ce serait plutôt un aquarium où les mots et les images doivent circuler, évoluer comme des poissons.

Beaucoup de choses furent changées paresseusement le jour où l'on inventa la linotypie et la monotypie, procédés mécaniques esclaves de leurs matrices !

La couleur aussi fut perdue. Cette couleur entrevue par Rimbaud dans son alchimie du verbe : « J'inventais la couleur des voyelles ! A noir, E blanc, I rouge, O bleu, V vert. Je réglais la forme et le mouvement de chaque consonne et avec des rythmes instinctifs, je me flattais d'inventer un verbe poétique accessible un jour ou l'autre à tous les sens (Une Saison en Enfer).

Les Delaunay firent une tentative, le rouge et le noir employés avec intelligence dans les années 20 furent par la suite oubliés ou utilisés mal-proprement.

Nous avons vu que les futuristes, puis les dadaïstes brisèrent les chaînes d'esclavage de la lettre toujours placée à l'horizontale. Ils mirent, pour faire leur évolution, un certain désordre provocateur qui tentait de faire sortir la lettre et les typographes de leur torpeur ; vinrent ensuite les manifestations de De Stijl, de Seuphor, du Bauhaus qui tentèrent de remettre de l'ordre dans tout cela. Il fallait retrouver une certaine pureté, un certain esprit, retrouver un ordre qui ne serait quand même pas synonyme d'ennui et de trop de régularité, il fallait retrouver un équilibre.

Mais de cet équilibre normalisé allait naître un nouveau classicisme prude comme les caractères de Cassandre vers 1930 ou 1935, un manque total d'imagination dans la disposition que seuls les journaux, les affiches et la publicité allaient vaincre en apportant un peu d'humour, de fantaisie, de nouveauté.

Après 1944, allait naître une nouvelle école, le lettrisme d'Isodor Isou dont les théories sont intéressantes si la pratique est peu convaincante et s'il n'avait pas la prétention d'avoir tout découvert.

« Ainsi, écrivent les lettristes, en partant de l'idée que le point, la ligne, la surface, particules et structures de l'abstrait sont incapables de projeter plus de quelques combinaisons réduites, vagues et confuses, aujourd'hui banalisées et qu'ils sont de simples composants d'un domaine géométrique moderne, nous avons pensé explorer d'autres éléments de ce secteur — les chiffres, les symboles algébriques, etc. — puis en dressant les composants de cette discipline, explorer d'autres disciplines — utilisant les lettres, les notes de musique, les cryptogramme, les graphiques, les sténographies, etc. — jusqu'à saisir l'ensemble des moyens de communication visuels contenant des masses de signes ou d'écritures non explorés jusqu'à présent, cosmos d'une telle étendue et d'une telle profondeur, que l'on est obligé de reconsidérer toutes les expressions de la peinture antérieure, de les reclasser dans son tableau des valeurs, à leur échelon précis, avant de prolonger chaque série inachevée de termes figuratifs ou non figuratifs par leur immense suite de possibilités complémentaires.

Les lettristes ont brisé les mots pour proposer à la poésie des particules neuves, à savoir la versification à lettres... Ils ont proposé l'élément spécifique inexploré ; la lettre ou le signe...

Ils ont brisé les éléments conventionnels passés, les vocables sonores et les choses visuelles et cela afin de capter un composant inédit — la lettre ou le signe — aux dimensions doubles, visuelles et sonores, aboutissant à une reconstruction intérieure concrète et non seulement extérieure, théorique de la versification et de la plastique, devenues art unique. Les réalisateurs cessent d'être séparés pour devenir naturellement par une pratique identique à la fois peintres et poètes...

Initialement, l'écriture, la sculpture, la peinture et même l'architecture apparaissent comme une impression et expression unique s'inscrivant dans le cercle de la planète terre. Graphismes rupestres, hiéroglyphes égyptiens et américains, idéogrammes, wens polaires, runes hyperboréens, quippos indiens, paléographies innombrables signent les supports minéraux, végétaux, sidéraux de la cosmographie. Lors du passage de l'idéographie à la phonétique, l'art de la peinture se séparent, autrement dit l'écriture devient le véhicule abstrait de la pensée et de la peinture la représentation visuelle du monde. L'apport original du lettrisme dans l'histoire de l'art est de projeter la lettre en particule créatrice d'une esthétique non plus vécue mais vivante dans ce que nous appelons le supertemporel. Jusqu'ici la lettre a été soit l'élément primordial métaphysique par exemple «élément constitutif de l'univers» chez les Grecs, pour n'en citer qu'un, soit simple élément d'écriture...

La manifestation de la lettre dans le temps a pris toutes les formes et toutes les substances imaginables depuis les entailles jusqu'aux lettres de néon, en passant par la brique des cunéiformes et les métaux de l'imprimerie; la géométrie et issue du symbolisme des caractères, les alphabets ne sont pas des signes arbitraires et conventionnels, mais les clés de l'art, que cet art soit égyptien, médiéval ou classique. Les chiffres, les nombres et les signes de ponctuation n'étant en réalité que des lettres empruntées à d'autres écritures, les lettres sont également les clés de la science; sans lettres, sigles ou signes, pas d'équations, pas de biologie, pas de physique intelligible ou opératoire, pas de voyages dans le temps et dans l'espace... (de Latour).

Les lettristes n'ont rien inventé, il suffit pour s'en convaincre de regarder ces images, mais rendons-leur hommage, ils sont quasiment les seuls à aimer la lettre.

Nous n'avons rien inventé, nous avons même perdu le sens ou le goût de l'invention, il suffit pour s'en convaincre, tout en restant dans les temps modernes, de regarder les manuscrits à peinture du Moyen Age. La mise en page du Tropaire d'Autun (X^e et XIe siècle) les modèles de dessins et de lettres de Villard de Honnecourt (XIIIe siècle), l'admirable livre de la chasse de Gaston Phébus (XVe siècle), sont des leçons pour toujours. Et même ce qu'on appelle les «bulles» de nos bandes dessinées contemporaines, paraissent sous la forme de banderolles sortant de la bouche des personnages dans les tableaux ou les livres du Moyen Age comme dans les grandes Heures de Rohan de la première moitié du XVe siècle.

Du manuscrit enluminé au livre typographique illustré la transition est insensible. Et au XXe siècle, nous sommes presque revenus parfois au manuscrit enluminé quand nous pensons au Jazz de Matisse, au Miserere de Rouault, à certains livres de Braque, de Picasso, de Dubuffet où les artistes, pour donner plus d'unité à leurs œuvres, ont écrit le texte à la main.

La composition typographique doit de plus en plus devenir un art visuel, un art de rythmes, elle doit donc se rapprocher de la peinture et encore plus de l'architecture. Tout comme l'architecture, la typographie avant même d'être beauté doit être logique et ordonnance. Il faudrait ajouter charme ou fantaisie.

Partir d'une matière neuve, d'un vocabulaire optique original et par-là atteindre à une expression directe non altérée. A ce que l'écrivain allemand Hugo Ball appelait « l'image incorrompue ».

La lettre elle-même possède une identité, une entité, une valeur poétique, plastique, donc évocatrice. Les lettres ne sont pas définitivement faites pour être alignées comme des petits soldats.

Nous donnons ici quelques exemples de fantaisie et de diversité qu'on peut trouver dans l'évolution de la lettre arabe ou chinoise. Curieusement, ces lettres par leur disposition, ont plus inspiré les peintres que les typographes, de Paul Klee à Matisse en passant par Mathieu ou Tobey.

La musique, comme le ballet, le théâtre, est un art du temps ; l'originalité de Mallarmé est d'avoir conçu la symphonie du « Coup de dés » également comme un art de l'espace, une instantanéité structurale, du type de la peinture ou de l'architecture.

Dans son idée, le Livre Total doit réaliser une synthèse entre les arts de durée (succession des lignes, écoulement de la lecture) et les arts de l'espace (espace fixe des blancs, dessin de la pensée).

Dans sa remarquable préface ou étude chronologique de l'exposition « Between poetry and painting » Dom Sylvester Houedouard cite de forts intéressants exemples. Il nous était impossible ici de tout mettre, mais cependant nous regrettons de ne pouvoir montrer encore quelques poèmes de Pierre Albert Birot et peut être également les recherches de Vantongerloo, tout comme à la fin, plus de « typewriters artists » ou de montrer quelques autres « incognito » étant impossible dans les revues qui les impriment de découvrir leur nom.

«La beauté, écrivait encore André Breton, sera convulsive ou ne sera pas.» La beauté typographique futuriste plus que surréaliste certes fut souvent convulsive. Et il fallait sans doute ces convulsions, puis cette rigueur après le temps des chocs, pour que de l'une et de l'autre situation surgisse un ordre nouveau.

Pierre Faucheux en metteur en page, Breton, Soupault, Eluard, Reverdy et Michaux étaient sensibles les uns en poètes, les autres en esthètes à ces problèmes de visualité, et après avoir fait danser, valser les lettres en tous sens, on les a sagement ramenées dans un carré, pour en faire une page, une affiche ou un tableau. Il est temps, il est grand temps de faire une nouvelle Révolution.

LE NOMBRE

EXISTÂT-IL
autrement qu'hallucination éparse d'agonie

COMMENÇÂT-IL ET CESSÂT-IL
sourdant que nié et clos quand apparu
enfin
par quelque profusion répandue en rareté
SE CHIFFRÂT-IL

évidence de la somme pour peu qu'une
ILLUMINÂT-IL

LE HASARD

Choit
la plume
rythmique suspens du sinistre
s'ensevelir
aux écumes originelles
naguères d'où sursauta son délire jusqu'à une cime
flétrie
par la neutralité identique du gouffre

C'ÉTAIT
issu stellaire

CE SERAIT
pire
non
davantage ni moins
indifféremment mais autant

1

We lived beneath the mat,
Warm and snug and fat,
But one woe, and that
Was the Cat!

To our joys
a clog, In
our eyes a
fog, On our
hearts a log,
Was the Dog !

When the
Cat's away,
Then
The mice
will
play,
But alas !
one day, (So they say)

Came the Dog and
Cat, hunting
for a
Rat,
Crushed
the mice
all flat,
Each
one
as
he
sat,
Underneath the mat, Warm and snug and fat, Think of that!

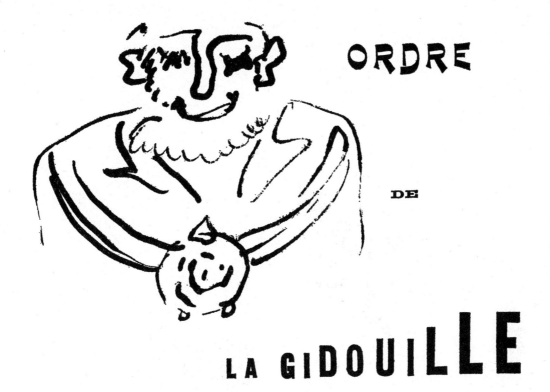

ORDRE DE LA GIDOUILLE

De nombreuses fautes d'impression se sont glissées dans notre liste de promotions et nominations parue au *Journal Officiel* du 15 décembre.

On trouvera ci-dessous ces erreurs rectifiées en ce qui concerne les grades de quelque importance (grand-croix, grands-oufficiers, commandeurs, oufficiers) :

Sont promus ou nommés dans l'ordre de la Gidouille à l'occasion de l'Exposition :

MINISTÈRE DE L'INSTRUCTION PUBLIQUE ET DES BIZ-ARTS

Grand-croix

M. Bonnard, peintre, membre de l'Institut.

Grands-oufficiers

MM.
Bully-Prodhomme, de l'Académie française.
Brouordel, doyen de la Faculté de médecine de Paris.
Mercier, sculpteur sur consciences.
Massepet, compositeur de musique.
Chantard, collectionneur.

CES NÈGRES

ONT ROUGI

A ENTENDRE

LA CHANSON SUIVANTE

ET CETTE PAGE DE DROITE QUI EN EST PLUS PBOCHE
EST DÉJA AU ROUGE *BLANC*

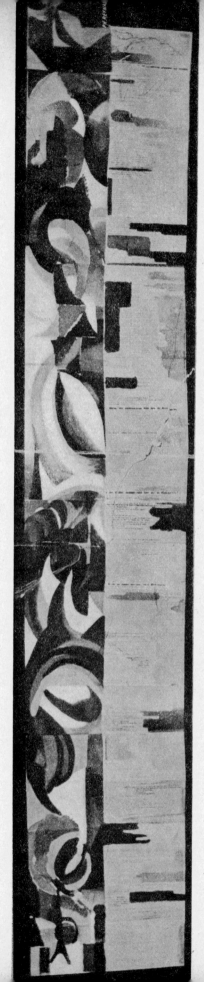

6

imboscata di T. S. F. bulgari
vibbbrrrrrrarrrrrre
arrrrrrruffarrre comunicazioni turche
Sciukri Pascià - Costantinopoli

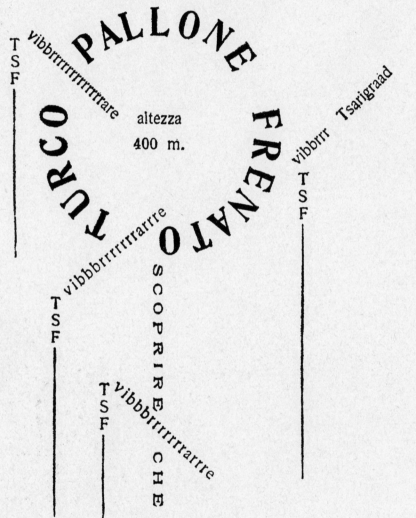

PALLONE FRENATO TURCO

altezza 400 m.

T S F vibbrrrrrrrrrrrrrrare

vibbbrrrr Tsarigraäd T S F

T S F vibbbrrrrrrrrarrre

SCOPRIRE CHE

T S F vibbbrrrrrrrarrre

assalto contro Seyloglou mascherare assalto

DELAUNAY

PAR

GVILLERMV DE TORRE

DESTRUCTION CONSTRUCTION

DÉLIRES

II ALCHIMIE du VERBE

A

J'inventai
Je réglai la forme

la couleur des voyelles

et le mouvement...

chaque consonne et
instinctifs Je me
un VERBE Poétique
un jour ou l'autre à
Je réservais
la traduction

I

avec des Rythmes
flattai d'inventer
accessible
Tous Les Sens

O

U

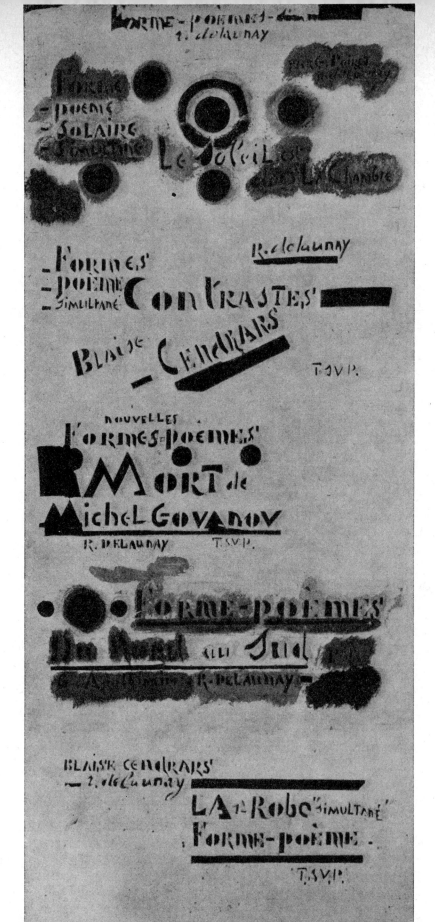

Alfabeti lettere dantelles batiste fiocchi
Ornamenti dell'idea nuda
Je m'abîme dans ce fouilli de tiédeurs charnelles
Respiro i ricchi odori delle tue segretezze
Bacio le ciarpe d'oro che sono un poco del tuo grande corpo

Poesia vertice raggiante dell'universo
Anche i tuoi vestiti mortali sono adorabili

Antiche cose con polpe e nervo
Esseri vivi col loro destino terrestre
Ombre ora confitte in un segno netto e fermo
Tipi transustanziazione di misteri infiniti

Veccaio satiro cosmopolita di mitologie future
Voilà ti posseggo tutta

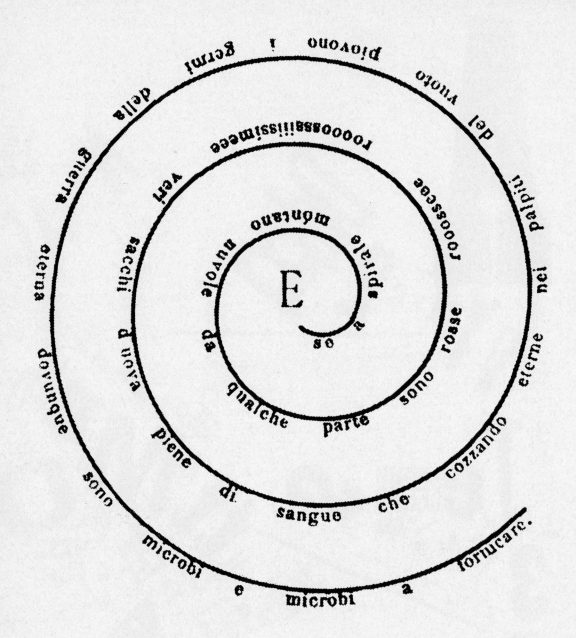

Hommes vous trouverez ici une nouvelle représentation de l'univers en ... Hommes ...

de plus poétique et de plus moderne

Laissez, vous qui êtes n'ayez ... art ou le sublime pas ficher éclate le pas ...

tout terriblement

Guillaume Apollinaire

15

Il pleut

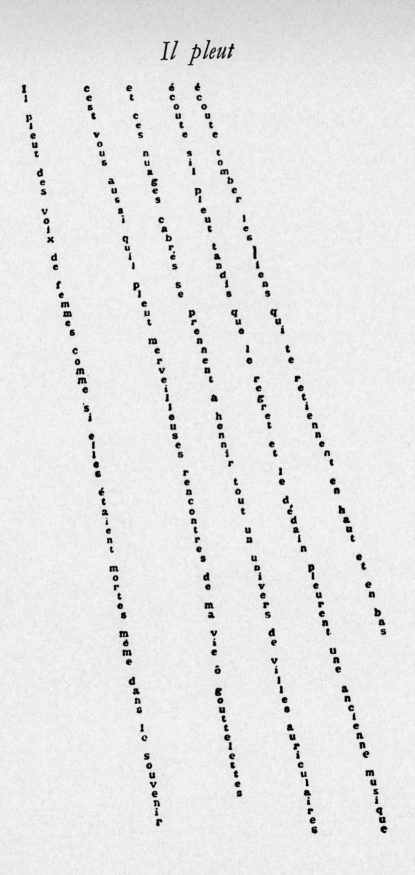

Il pleut des voix de femmes comme si elles étaient mortes même dans le souvenir

c'est vous aussi qu'il pleut merveilleuses rencontres de ma vie ô gouttelettes

et ces nuages cabrés se prennent à hennir tout un univers de villes auriculaires

écoute s'il pleut tandis que le regret et le dédain pleurent une ancienne musique

écoute tomber les liens qui te retiennent en haut et en bas

la RAISON c'est ton Art femme

car

té

ri

vé

la

ô batailles la terre tremble là comme une défine

TRAVERSE SON LE

COM
ME
LA
BAL
LE
A
TRA
VERS
LE

CORPS

nez de la pipe les odeurs-centre

univers infiniment déliées qui

fourneau y forgent les chaînes

lient les antres raisons formelles

Que cet œillet te dise
la loi des odeurs
qu'on n'a pas encore
promulguée et qui viendra
un jour
régner sur
nos cerveaux
bien +
précise & + subtile
que
les
sons
qui nous dirigent
Je préfère ton nez
à
tous
tes
organes ô mon amie
Il est le trône de
la
future
SA
GE
SSE

18

Te souviens-tu du tremblement de terre entre 1885 et 1890
on coucha plus d'un mois sous la tente

BONJOUR MON FRÈRE ALBERT à Mexico

Jeunes filles à Chapultepec

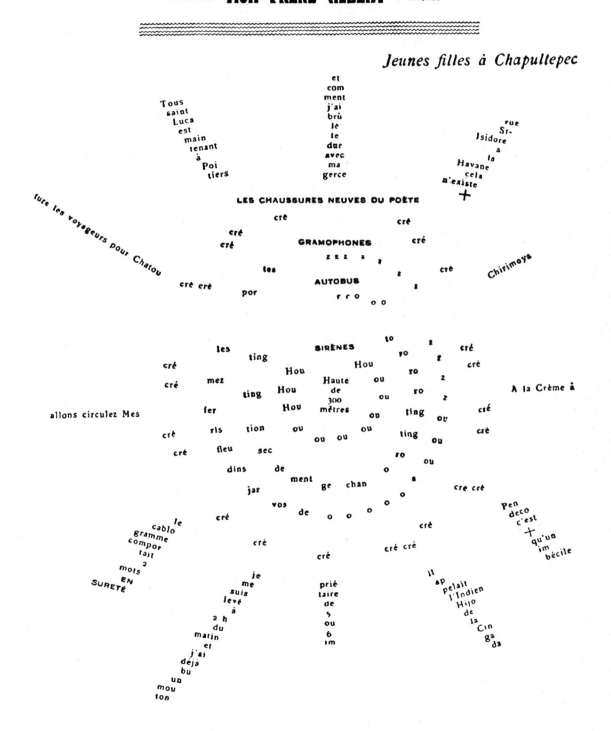

La cravate et la montre

LA CRAVATE

DOU
LOU
REUSE
QUE TU
PORTES
ET QUI T'
ORNE O CI
VILISÉ
OTE-   TU VEUX
LA   BIEN
SI   RESPI
          RER

COMME L'ON
S'AMUSE
BI
EN

   les   la
   heures

et le   beau
vers   Mon
dantesque   cœur   té
luisant et
cadavérique   de

             la
le bel   les
inconnu Il   yeux vie
    est Et
    — tout   pas
    5   se
    en ra   se
les Muses fin fi
aux portes de ni
ton corps   l'enfant la

            dou

l'infini   leur
redressé
par un fou Agla de
de philosophe

            mou

            rir

semaine   la main

Tircis

Loin du pigeonnier

Et vous savez pourquoi

Pour
quoi la chère couleu vre se love de la mer jusqu'à l'espoir
l'Est dri
de ssànt a
tten

Malourène 75 Canteraine

Hexa
èdres
bar
belés
mais un secret
collines bleues
en sentinelle

dans la
Forêt
où
nous chantons

O gerbes
des
3o5
en déroute

Du coton dans les oreilles

Tant d'explosifs sur le point **VIF !**

l'o s e s   guerre
tu   en
si   toujours
mot   âme
un   mon
Ecris   dans   feu
d'impacts   le
points   crache
Les   féroce
troupeau
?   Ton

OMÉgaphone

V
OI
CI LA **?**
MAISON
OÙ NAISSENT
LES É
TOI LES
ET LES DIVINITÉS

CET
ARBRISSEAU
QUI SE PRÉPARE
A FRUCTIFIER
TE
RES
SEM
BLE

e
m
u
f
i
u
q
é
m
u
l
l
UN CIGARE a

C
O
U
C
H
É
S   E
a   L
B
MANTS   M
E
N
VOUS   E
VOUS
SÉ
PA   MES
RE   MEM
R   B R E S
E
Z

La colombe poignardée
et le jet d'eau

Douces figures poignardées Chères lèvres fleuries
MIA MAREYE
YETTE LORIE
ANNIE et toi MARIE
où êtes-
vous ô
jeunes filles
MAIS
près d'un
jet d'eau qui
pleure et qui prie
cette colombe s'extasie

Tous les souvenirs de naguère
O mes amis partis en guerre
Où sont Raynal Billy Dalize
Dont les noms se mélancolisent
Comme des pas dans une église
Jaillissent vers le firmament
Et vos regards en l'eau dormant
Meurent mélancoliquement
Où sont-ils Braque et Max Jacob
Où est Cremnitz qui s'engagea
Peut-être sont-ils morts déjà
De souvenirs mon âme est pleine
Le jet d'eau pleure sur ma peine
Derain aux yeux gris comme l'aube

CEUX QUI SONT PARTIS A LA GUERRE AU NORD SE BATTENT MAINTENANT
Le soir tombe O sanglante mer
Jardins où saigne abondamment le laurier rose fleur guerrière

Cœur couronne et miroir

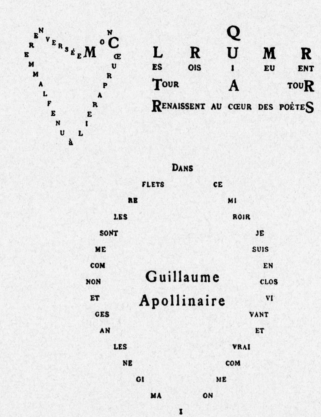

24

L'amiral cherche une maison à louer

Poème simultan par R. Huelsenbeck, M. Janko, Tr. Tzara

HUELSENBECK	Ahoi ahoi	Des Admirals gwirktes	Beickled	schnell			
JANKO, chant		Where the honny	sucke viae reine lisoif				
TZARA	Boum boum boum	déshabilla sa chair	quand les grenouilles				

HUELSENBECK	und der	Conciergenbäuche	Klapperschlangengrün	sind måde ach			
JANKO, chant	can bear	the weopour	will arround arround	the bit			
TZARA	serpent à Bucarest	on dépendra	men seuls doréauvaut	et			

HUELSENBECK	prrrza	chrrrza	prrrza		Wer suchet	dem wird
JANKO, chant	mine	admirably		comfortably	Grandmother	said
TZARA					Dimanche:	drex éléphants

intermède rythmique				
HUELSENBECK	hihi Yabomm	hihi Yabomm	hihi hihi hihihi	
TZARA	rouge bleu	rouge bleu	rouge bleu rouge bleu rouge bleu	
SIFFLET (Janko)				
CLIQUETTE (TZ)				
GROSSE CAISE (Huels)	O O O	O O O O O	O O O O O	O O

HUELSENBECK	im Kloset	zumeistens was er nötig hätt	ahoi luché ahoi iuché	
JANKO (chant)	I love the ladies	I love to be among the girls		
TZARA	la concièrge qui m'a trompé	elle a vendu l'appartement	que j'avais loué	

HUELSENBECK	hätt' O süss gequoiiaes Stelidichein des Admirals im Abenddschein	uru uru	
JANKO (chant)	o'clock and tea is set I like to have my tea with some brunet	shai shai	
TZARA	Le train traîne la fumée comme la fuite de l'animal blessé aux		

HUELSENBECK	Der Affe brüllt die Seekuh bellt im Lindenbaum der Schräg rerachellt	tara-	
JANKO (chant)	doing it doing it see that ragtime coupplie over there	tee	
TZARA	Autour du phare tourne l'auréole des oiseaux bleuâtis en moitiés de lumière vio-		

HUELSENBECK	Peitschen um die Lenden	im Schlaf sach gröhlt der
JANKO (chant)	oh yes yes yes yes yes yes yes	yes sir
TZARA	cher c'est si difficile La rue s'enfuit avec mon bagage à travers la ville Un métro mêle

---

			Teerpappe macht Rawages		in der Nacht
merfiltit	the door a sweetheart	mine is waiting patiently	for me	i
arrosad hennles	commencèrent à bruler	j'ai mis le cheval	dans l'âme du

vorzerrt in der Natur			chrza prrrza	chrrrza	
			my great room	is
c'est très intéressant les griffes des morsures équatoriales					

anfgetan	Der Ceylonlöwe	ist kein Schwan	Wer Wasser braucht find
		I love the Indies assassine
Journal de Genève	au restaurant	Le télégraphiste	

	Find was er nötig	
	And when it's five	

Dans l'église après la messe le pêcheur dit à la comtesse: Adieu Mathilde

uro uru	uru uro uru uru	uru uro pataclan pataban pataplan	uri uri uro					
shai shai shai shai shai shai	Every body is doing it	doing it doing it	Every body is					
intestius écrasés								

teta taratata tatatata	la Joechiwara dröhnt der Brand und knallt mit schnellen		
tätt throw there shoulders in the air She said the raising her heart oh dwelling			
sant la distance des bateaux Tandis que les archanges chient et les oiseaux	tombent	Oh! mon

alte Oberpriester und zeigt der Schenkel volle Tastatur	L'Amiral n'a rien trouvé	
yes oh yes oh yes oh yes yes yes sir	L'Amiral n'a rien trouvé	
son cinéma la prore de je vous adore au casino du sycomore	L'Amiral n'a rien trouvé	

NOTE POUR LES BOURGEOIS Les essays sur la transmutation des objets et des couleurs des premiers peintres cubistes (1907) Picasso, Braque, Picabia, Duciassip-Villon, Delannay, suscitaient l'envie d'appliquer en poésie les mêmes principes simultans.

Villiers de l'Isle Adam eût des intentions pareilles dans le théâtre, où l'on remarque les tendances vers un simultanéisme schématique; Mallarmé essaya une réforme typographique dans son poème: Un coup de dés n'abolira jamais le hazard; Marinetti qui popularisa cette subordination par ses „Paroles en liberté"; les intentions de Blaise Cendrars et de Jules Romains, dernièrement, ammenèrent Mr Apollinaire aux idées qu'il développa en 1912 au „Sturm" dans une conférence.

Mais l'idée première, en son essence, fut extériorisée per Mr H. Barzun dans un livre théorétique „Voix, Rythmes et chants Simultanés" où il cherchait une réaction plus étroite entre la symphonie polyrythmique et le poème. Il opposait aux principes successifs de la poésie lyrique une idée vaste et parallèle. Mais les intentions de compliquer en profondeur cette technique (avec le D:ame Universel en éxagerant sa valeur au point de lui donner une idéologie nouvelle et de le cloitrer dans l'exclusivisme d'une école, — echoèrent

En même temps Mr Apollinaire essayait un nouveau genre de poème visuel, qui est plus intéressant encore par son manque de système et par sa fantaisie tourmentée. Il accentue les images centrales, typographiquement, et donne la possibilité de commancer à lire un poème de tous les côtés à la fois. Les poèmes de Mrs Barzun et Divoire sont purement formels Ils cherchent un effort musical, qu'on peut imaginer en faisant les mêmes abstractions que sur une partiture d'orchestre.

Je voulais réaliser un poème basé sur d'autres principes. Qui consistent dans la possibilité que je donne à chaque écoutant de lier les associations convenables. Il retient les éléments caractéristiques pour sa personalité, les entremêle, les fragmente etc, restant tout-de-même dans la direction que l'auteur a canalisé.

Le poème que j'ai arrangé (avec Huelsenbeck et Janko ne donne pas une description musicale mais tente à individualiser l'impression du poème simultan auquel nous donnons par là une nouvelle portée.

La lecture parallèle que nous avons fait le 31 mars 1916, Huelsenbeck, Janko et moi, était la première réalisation scénique de cette ésthétique moderne,

TRISTAN TZARA

LA·PREMIÈRE·
AVENTURE·CÉ
LÉSTE·DE·Mr·AN
TIPYRINE·PAR

Tr·TZARA AVEC

DES·BOIS·GRA=
VÉS·ET·COLORI=
ÉS·PAR·M·IANCO

COLLECTION·DADA·   Fr

KARAWANE

jolifanto bambla ô falli bambla

grossiga m'pfa habla horem

égiga goramen

higo bloiko russula huju

hollaka hollala

anlogo bung

blago bung

blago bung

bosso fataka

ü üü ü

schampa wulla wussa ólobo

hej tatta gôrem

eschige zunbada

wulubu ssubudu uluw ssubudu

tumba ba- umf

kusagauma

ba - umf

(1917)
Hugo Ball

TRENO IN CORSA

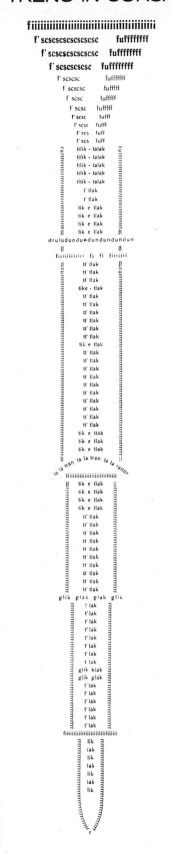

CIRCO EQUESTRE

(VIOLA INCERTO FANTASTICOMICO)

FOLLA   CRETINERIA   FOLLA   FOLLA   FOLLA

Difficile

Più difficile

Ancora più difficile

Difficilissimo

BASTA   BASTA   BASTA

silenzio - - - - - - - - - - - - - - si

av volgere
si lenzio

len

zio

OP

SIGNORA
INCINTA
TROPPA
EMOZIONE   (rapidissimo)

paura

sospensione

LA

attesa

BRAA . . . . VOOOoooooooo

FOLLA   FOLLA   NERO-BIANCA   GROSSA-PANCIA   OCCHIALI-D'ORO   FOLLA   FOLLA

NULLAEMOZIONE   OPACITÀ   ROTONDITÀ

L. VENNA
Futurista.

Fisches
Nachtgesang.

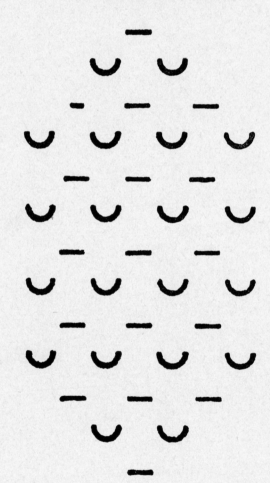

Man Ray: Lautgedicht. 1924

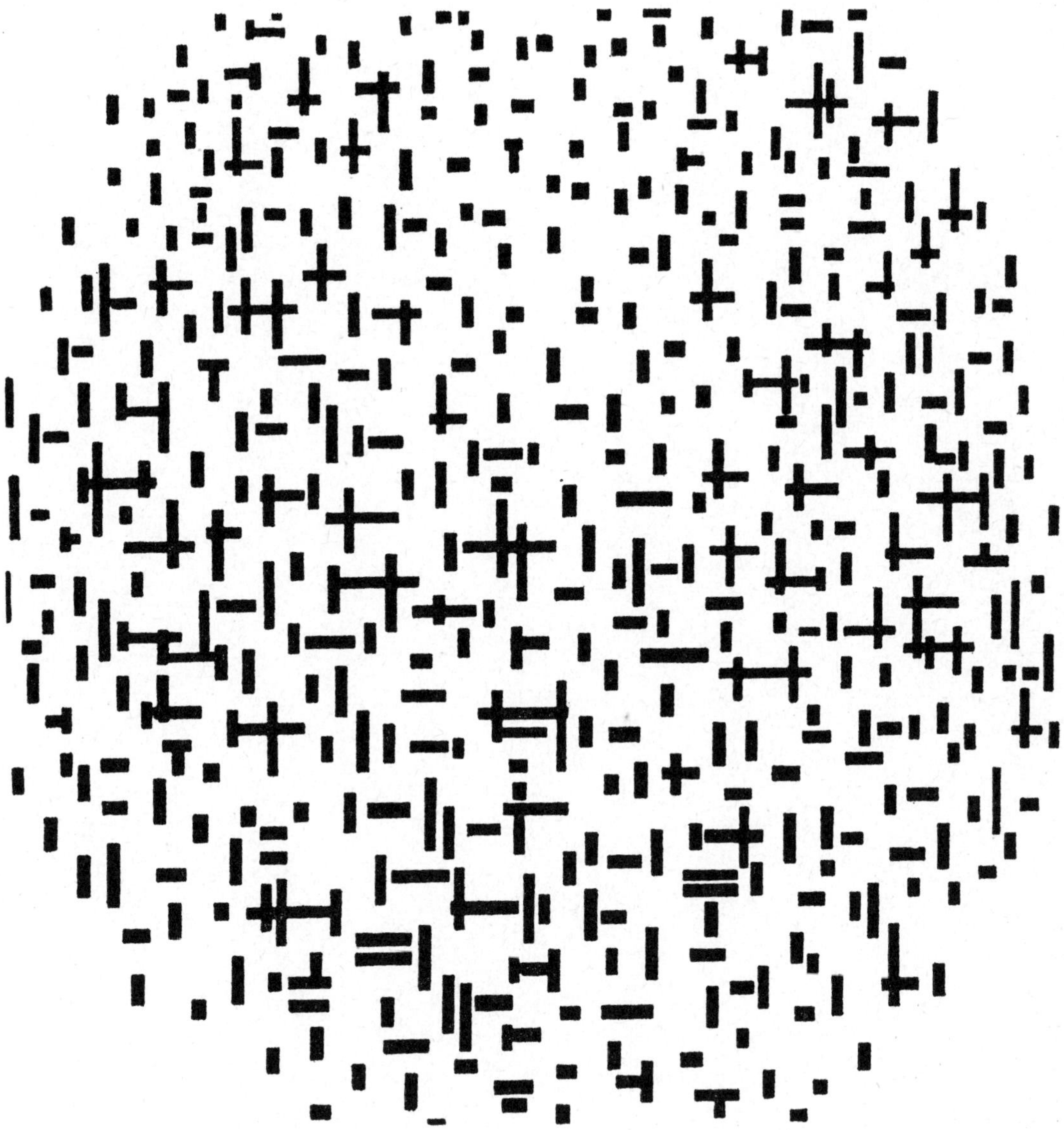

T E X T U E L

îlot physique Seuphor sous l'aile de Mondrian
sous les drapeaux sérieux du Néo-Plasticisme
battant le pavillon très pur

échappée belle de l'art
enfin mesure d'hygiène
ralliez-vous tous au pavillon du grand secours
du grand sérieux quand nous serons mieux éclai-[rés
et disparaisse la flore sous le regard néo
et cessent les éboulements

l'îlot physique sort des cavernes
il ose construire dans le clair
il lève la tête
où il n'y a que le grand bleu
et le grand gris et le grand blanc
et le grand noir et le soleil tout feu
suivi des synonymes bonheur sagesse connais-
et de la joie... [sance
qu'il ne faut pas confondre encore

mais il fallait y penser si j'ose dire
être déjà et non choisir et choisir bien quand-même
mais il fallait prendre contact
marcher longtemps et sous le juste signe

M. Seuphor
16 mai 1928

P. M

33

DE STIJL

Voorbijtrekkende Troep

Ran   sel   Rui   schen
Ran   sel   Rui   schen
Ran   sel   Rui schen
Ran - sel   Rui schen
Ran - sel   Ruischen
Ran - sel   Ruisch ...
Ran - sel   Rui ...
Ran - sel   Ru ...
B L i k - k e n - t r o m m e l   Ru ...
B L i k - k e n - t r o m m e l   R ...
BLikken TRommel   R ...
   RANSEL   r ..
BLikken trommel
BLikken trommel
BLikken trommel   (1916)
   RANSEL
Blikken trommel
Blikken trommel
Blikken trommel
   RANSEL
BLikken trommel
Blikken trommel
   Ransel
Blikken trommel
   Ransel
Blikken trommel
RAN

M É C A N O

3 ROUGE

No ROT, RED 1922

No ROUGE, ROOD 1922

GÉRANT LITÉRAIRE: I. K. BONSET

MÉCANICIEN PLASTIQUE: THEO VAN DOESBURG

ADMINISTRATIE EN VERTEGENWOORDIGING VOOR HOLLAND: „DE STIJL" KLIMOPSTRAAT 18, HAAG. — PARIS: LIBRAIRIE „SIX" 5 AV: DE LOWENDAL PARIS 7e

kp' erioUM lp'er ioum

Nm' periii PERno....

bprEtiBerreeeRREbEee

ONNOo gplanpouk

konmpout pERIKOUL

RrEEee EEee rrrr...eeA

oapAerrre EEE

mgl ed padANou

M'Tnou tnoum t

BILAN

virement, *crustacée long* bleu règlement

soigne *la parodie* et touche **A BAS**

étale lentement *la taille* paradis **A BAS** **cataphalque**

étalon *sur les rails* à travers hypocrisie ressorts ressemblants

sur mes dents *sur tes dents* j'écoute sentis bans les os

qui baille extasié extraction de hameçons ou corridor tricolore

hamac perforé *et les insectes* du vide (soude) **ZZ**

des nombres *on réveille* le nombril (sonde)

fini le paragraphe *et la seringue* pour phosphore

Voisinage du fer bravoure gymnastique balustrade

les chiffres astronomiques acclimatisées

SUR BILLARD A TOUS LES VENTS

gratuitement

drogue halucination transcaspienne sacristie

AVANCE LA COULEUR EN LANGUE DIFFÉRENTE

vivisection

EX-CATAPLASME PLAIT AUX AMOUREUX

à 3 fr. 50 ou 3 h. 20 invincible martyrologiste

ton cible et tes cils rappellent la naissance du scorpion en cire

syphilis blanchissant sur les bancs des glaciers

joli TAMBOUR crépuscule

auto gris autopsie cataracte

ô nécrologues prophylactiques des entr'actes antarctiques régions

t^Ri_s^tA^n T^zaR_a

Paysage

Le soir on se promènera sur des routes parallèles

L'ARBRE
ETAIT
PLUS
HAUT
QUE LA
MONTAGNE

La lune
ou
tu te regardes

MAIS LA
MONTAGNE
ETAIT SI LARGE
QU'ELLE DEPASSAIT
LES EXTREMITES
DE LA TERRE

LE
FLEUVE
QUI
COULE
NE
PORTE
PAS
DE
POISSONS

ATTENTION A NE PAS
JOUER SUR L'HERBE
FRANCHEMENT PEINTE

Une chanson conduit les brebis vers l'étable

Vincente HUIDOBRO

LA FIN DU MONDE FILMÉE PAR L'ANGE N.-D.
ROMAN DE BLAISE CENDRARS
AUX ÉDITIONS DE LA SIRÈNE RUE LA BOËTIE 12 bis
PARIS MCMXIX

LE TRUC
DES PRO
PHETES
MEN
ELIK
VALET
DECHA
MBRE

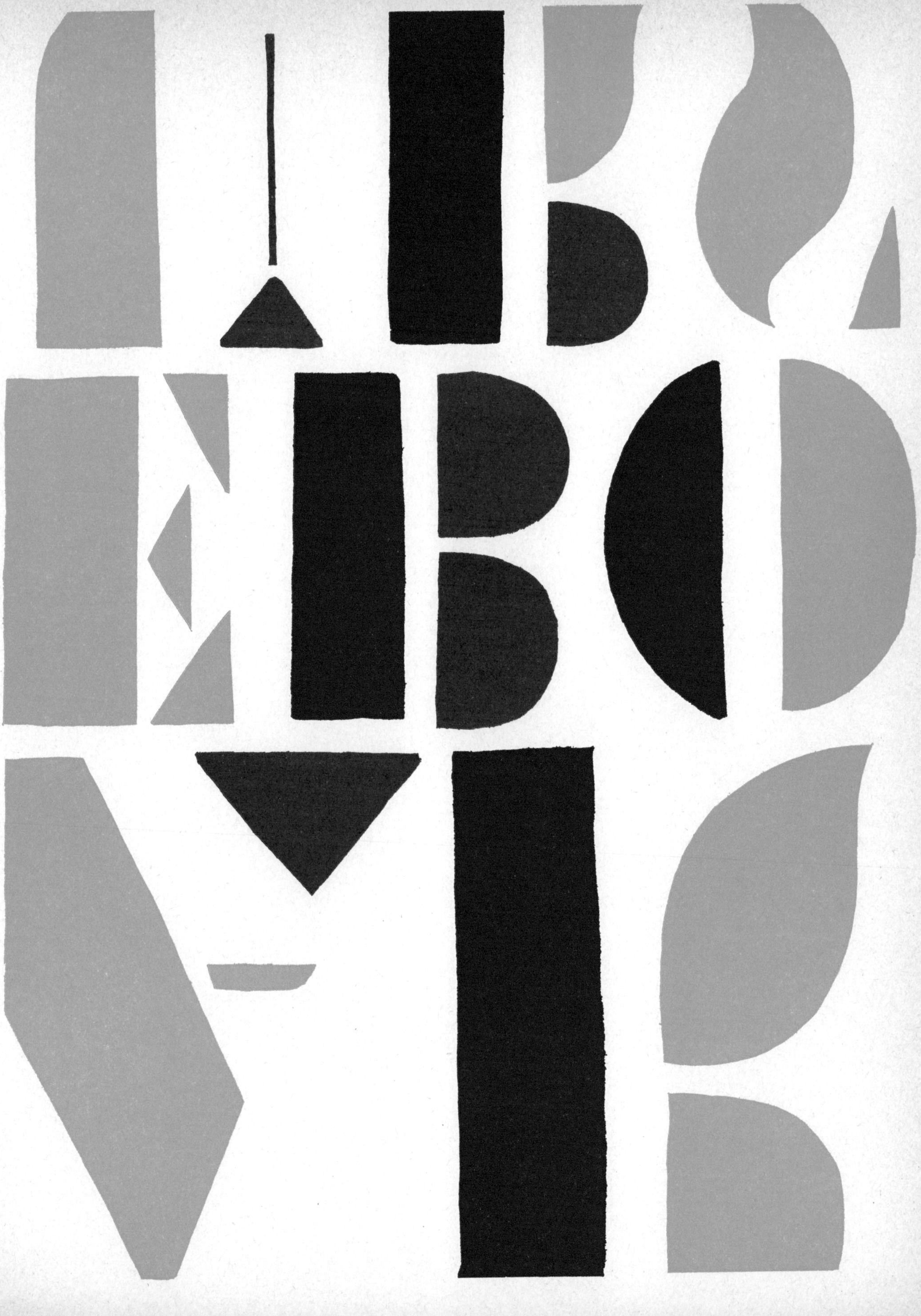

UNE BONNE NOUVELLE

CHER AMI,

VOUS ÊTES INVITÉ AU VERNISSAGE
DE L'EXPOSITION MAN RAY (CHARMANT
GARÇON) QUI AURA LIEU LE 3 DÉCEMBRE
1921 DE 2 H. 1/2 à 7 H. 1/2

A LA LIBRAIRIE SIX
5, AVENUE LOWENDALL - PARIS VII°

SOUS LA PRÉSIDENCE
DU MOUVEMENT DADA

ni fleurs
ni couronnes
ni parapluies
ni sacrements
ni cathédrales
ni tapis
ni paravents
ni système métrique
ni espagnols
ni calendrier
ni rose
ni bar
ni incendie
ni bonbons

N'OUBLIEZ PAS

EXCURSIONS & VISITES DADA

UN CULTE NOUVEAU :

DADA

1ÈRE *Église* VISITE :

Saint Julien le Pauvre

PROCHAINES VISITES :
Musée du Louvre
Buttes Chaumont
Gare Saint-Lazare
Mont du Petit Cadenas
Canal de l'Ourcq
etc.

JEUDI 14 AVRIL A 3 h.
RENDEZ-VOUS DANS LE JARDIN DE L'ÉGLISE
Rue Saint Julien le Pauvre — (Métro Saint-Michel et Cité)

COURSES PÉDESTRES DANS LE JARDIN

Les dadaïstes de passage à Paris voulant remédier à l'incompétence de guides et de cicerones suspects, ont décidé d'entreprendre une série de visites à des endroits choisis, en particulier à ceux qui n'ont vraiment pas de raison d'exister. — C'est à tort qu'on insiste sur le pittoresque (Lycée Janson de Sailly), l'intérêt historique (Mont Blanc) et la valeur sentimentale (la Morgue). — La partie n'est pas perdue mais il faut agir vite. — Prendre part à cette première visite c'est se rendre compte du progrès humain, des destructions possibles et de la nécessité de poursuivre notre action que vous tiendrez à encourager par tous les moyens.

* EN BAS LE BAS —■— EN HAUT LE HAUT

Sous la conduite de : Gabrielle BUFFET, Louis ARAGON, ARP, André BRETON, Paul ELUARD, Th. FRAENKEL, J. HUSSAR, Benjamin PÉRET, Francis PICABIA, Georges RIBEMONT-DESSAIGNES, Jacques RIGAUT, Philippe SOUPAULT, Tristan TZARA.

(Le piano a été mis très gentiment à notre disposition par la maison Gavault.)

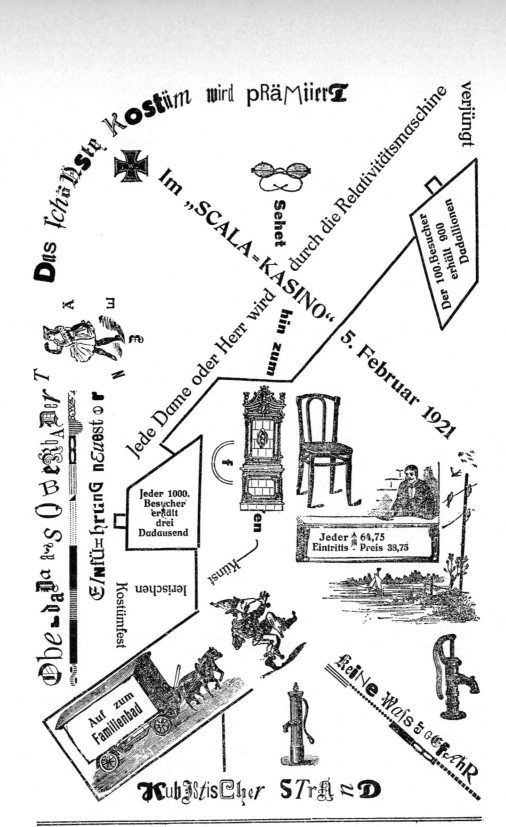

Karten für das künstlerische Kostümfest »Familienbad«

in den Räumen des „Scala-Kasino", Lutherstr. 22-24 sind in folgenden Stellen zu haben:

»Atlanta« Verkehrsbüro, Joachimsthalerstr. 5 — Café Josty, Bayrischer Platz 1 — Im alten Café des Westens — Odeon-Bar, Joachimsthalerstr. — Café Islam, Tauentzienstr. 20 — Theaterbillet-Verkauf am Zoo, Joachimsthalerstr. 1 — Theaterkasse Kaiserhotel, Kaiser-Keller — Theaterbillet-Verkauf Bayrischer Platz 11 — Reiseverkehrsbüro »Globus« Aschaffenburgerstr. 19 — Tauentzienkabinett, Tauentzienstr. 7 — Musik-Tempe, Nürnbergerstr. 27 und in den Restaurationsbetrieben des »Scala-Kasino« sowie an der Abendkasse.

He, he, Sie junger Mann
Dada ist keine Kunstrichtung

dadaco

Kurt Wolff

Verlag in
München

Dadaistischer Handatlas

Erscheint im Januar 1920

Grösstes
Standard-Werk
der Welt

Der Dadaco gibt den einzigen
authentischen Aufschluss über alle
Dadaisten der Gegenwart

M. Höch

Huelsenbeck
Hausmann-Baader
Mehring
Grosz-Heartfield

Centralamt der **dada**istischer Bewegung in
DEUTSCHLAND

Charlottenburg, Kantstr. 118. Richard Huelsenbeck. Fernsprecher: Steinplatz 8998.

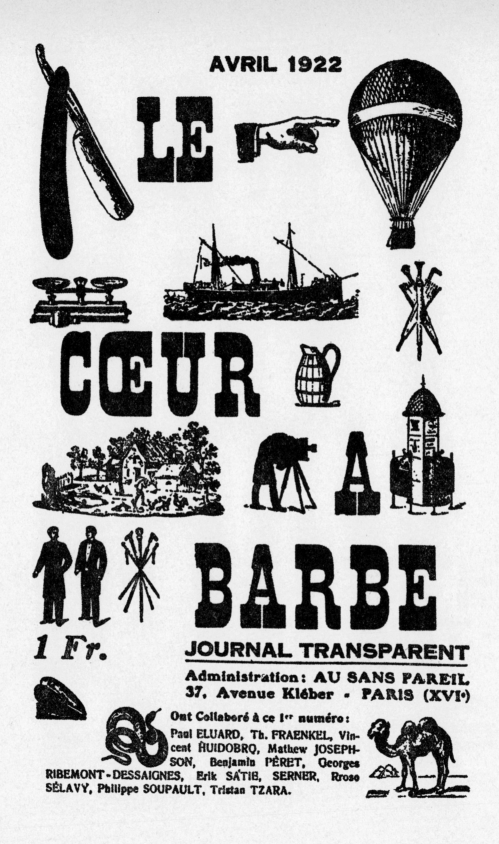

AVRIL 1922

LE

CŒUR A

BARBE

1 Fr.

JOURNAL TRANSPARENT

Administration: AU SANS PAREIL
37, Avenue Kléber - PARIS (XVIᵉ)

Ont Collaboré à ce 1ᵉʳ numéro:
Paul ELUARD, Th. FRAENKEL, Vincent HUIDOBRO, Mathew JOSEPHSON, Benjamin PÉRET, Georges RIBEMONT-DESSAIGNES, Erik SATIE, SERNER, Rrose SÉLAVY, Philippe SOUPAULT, Tristan TZARA.

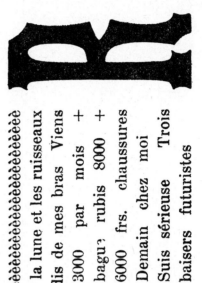

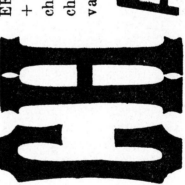

ÈÈÊÊÊÊÈÈè'è êêêêêêêêêêêêêêêêêêêêêêêêêêêêêêêê
+ Je t'aime + − × 29 caresses + la lune et les ruisseaux
chantent sous les arbres.... paradis de mes bras Viens
chance + − × + − 3000 par mois +
vanité eeeeeeeeeeeeee bague rubis 8000 +
6000 frs. chaussures
Demain chez moi
Suis sérieuse Trois
baisers futuristes

CH CH AI AI R R R RRRRRRR

SCRABrrRrraaNNG

futurista

Ho ricevuto
il vostro libro
mentre comandavo
il mio auto Corso
F T !!!

Pan pijig

Paaak

Piing

GRAAAAG
tam-tumb-
tumb tumb-tumb-tumb-tumb
-tumb FFFFraaah tatatatata rrrrrraaah
tatatatata PUUM PAMPAM

TRAC
10000 Shrapnel
ISONZO
campestre intre fresco
DOLCE DOLCISSIMO PACIFICO

SCiii
SCiii
AAAA
AAA
OOO
SIMULTANEITÀ
ESPLOSIONE

SCHiii

grazie e augur
lot e ai suoi arditi

Guerra ai
tedescotili!!
comp-a gni
verdi sdraiato

РАЗ ОЧАРОВАНИЕ АПОЛЛОНА МАРИЕНГОФА

велемір
хлебников
Зангези

п.м.   москва 1922..

Michioca
eIle Me m Out
ef Llltatsse
bll cerige courbé
vaga bette Louise
DE -y- belle
E Laullay
cava pouche
nuisi riant E

3/XI/22

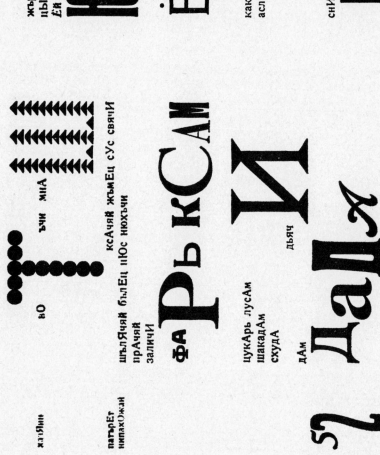

53

смОх шыц пупОй здЮс

жьрЮс кОй кыц бабОх
шыц
Ея

Юс

ЁХ

ОИЕ

какарУс
аслИнай бОх

ифтарОе пьиршэс

касАица
васкърЕшай
васкърЕшая
фтарИшна
прихОдит

хаэЯин

яблЕния гъ
фтарИшна
тьиришЭчяя

снИхвыи гОрышъни

пЕН на **НЕм**и

имшъи фистулЯны

мАкаим лисаУста ардЫ

хэяяни

патырЕт
нипахОжай

вО
ьчи миА

ксАчяй жьмЕц сУс свячИ
прАчяй
залечИ

шьлЯчяй бълЕц пЮс нюхьчи

фА Рь к**СА**м

И

дьяч

цукАрь лусАм
шакадАм
скудА

дАм

ДаДА

52

ха:Яин

С
В я Т Запъ Р
А О и
г У д
Х
Я
я

20

MAANDSCHRIFT HET OVERZICHT Nr. 13

1922 NOVEMBER

PRIJZ : 2 FR.

JOZEF PEETERS   PROGRAMMA

TADEUSZ PEIPER.

SZÓSTA! SZÓSTA! UTWÓR TEATRALNY W 2 CZĘŚCIACH

RAOUL HAUSMANN

Hurrah!
Hurrah!
Hurrah!

DER MALIK-VERLAG
BERLIN

12
SATIREN

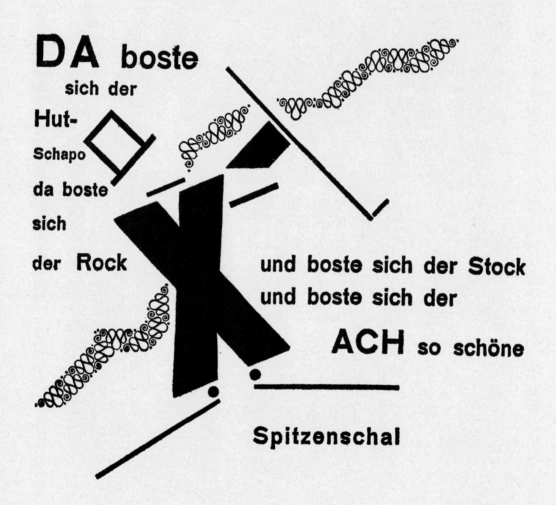

DA boste
sich der
Hut-
Schapo
da boste
sich
der Rock
und boste sich der Stock
und boste sich der
ACH so schöne
Spitzenschal

Da forchte
sich der Hut-Schapo
da forchte sich der Frack
da forchte
sich der
ACH so
schöne Spitzenschal

BAUHAUS DRUCKE
NEUE EUROPÆISCHE
GRAPHIK
ERSTE MAPPE
MEISTER D. STAATLICHEN BAUHAUSES
IN WEIMAR

VOM HERGESTELLT UND HERAUSGEGEBEN
STAATLICHEN BAUHAUS IN WEIMAR
IM JAHRE
1921
ZU BEZIEHEN DURCH
MÜLLER CO VERLAG
POTSDAM

R E L A C H E

Relâche, rose de feuille — feuille de
guêpe, cul de lampe, etc..... ● ●
Relâche est un passage à niveau, un
table — où l'amant-chaise! Et puis
l'aime; la vie sans lendemain, la vie
rien pour hier, rien pour demain.
Les phares d'automobiles, les colliers
des femmes, la publicité, la musique,
habit noir, le mouvement, le bruit,
plaisir de rire, voilà Relâche.
Relâche a été fait comme l'on abat
maquillé les cartes. ● ●
Relâche a les plus belles jambes du
jarretières noires et blanches. Relâche,
ni en arrière, ni à gauche ni à droite.
pas tout droit; Relâche se promène dans la vie

rose; guêpe de taille — taille de
passage à nivache; Relâche est lamen-
Relâche est la vie, la vie comme je
d'aujourd'hui, tout pour aujourd'hui,
de perles, les formes rondes et fines
l'automobile, quelques hommes en
le jeu, l'eau transparente et claire, le
neuf dix-sept fois de suite sans avoir
monde, ses bas sont champagne, ses
c'est le mouvement sans but, ni en avant
Relâche ne tourne pas et pourtant ne va
avec un grand éclat de rire. ERIK SATIE,

BORLIN, ROLF DE MARÉ, RENÉ CLAIR, PRIEUR et moi avons créé Relâche un peu comme Dieu créa la vie
Il n'y a pas de décors, il n'y a pas de costumes, il n'y a pas de nu, il n'y a qu'espace, l'espace que notre
imagination aime à parcourir; Relâche est le bonheur des instants sans réflexion; pourquoi réfléchir,
pourquoi avoir une convention de beauté ou de joie ? ● ● ● ● ●
Il faut risquer les indigestions si l'on a envie de manger !
Pourquoi ne pas se ruiner ? Pourquoi ne pas travailler quarante-huit heures de suite
si c'est notre plaisir ? Pourquoi ne pas avoir quinze femmes et pourquoi une
femme n'aurait-elle pas cinquante-deux hommes si cela peut lui plaire ?
Relâche vous conseille d'être des viveurs, car la vie sera toujours
plus longue à l'école du plaisir qu'à l'école de la morale, a
l'école de l'art, à l'école religieuse, à l'école
des conventions mondaines

FRANCIS
PICA-
BIA.

LES BALLETS SUEDOIS, AUXQUELS JE DOIS D'AVOIR DIRIGÉ TANT D'OEUVRES QUI ME SONT CHÈRES

V. GOLSCHMANN

ROLF DE MARÉ

ONT MONTÉ LES PREMIERS BALLET DE DARIUS MILHAUD

R. DESORMIÈRE

EN 1921 UN BALLET ET JEAN BORLIN QUE JE N'OUBLIE PAS

touchagues

Picabio

DÉLICIEUX

Étant tous deux

        décousus

au jour   le jour

      plus seul que partout

            pour terminer quelquefois

                  le bout du nez

dans ma vie

         authentique

s'il est possible

      la nécessité matérielle

        je suis sûr apporte

       la bonne chance

                          PICABIA

"Cette époque n'est qu'une femme malade—
laissez-la crier, tempêter, disputer,
laissez-lui briser table et assiettes."

"—Es-tu fragile?
Garde-toi des mains de l'enfant!
L'enfant ne peut vivre,
S'il ne casse quelque chose..."

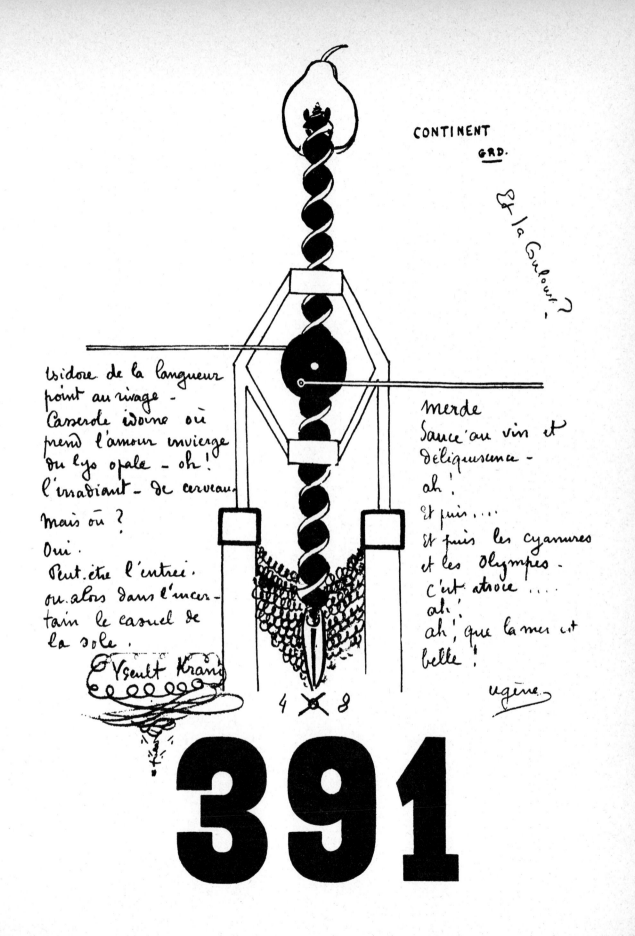

CONTINENT
GRD.

Et la Galoui?

Isidore de la langueur
point au rivage —
Casserole ivoire où
prend l'amour invierge
ou lys opale — oh!
l'irradiant — de cerveau.
mais où ?
Oui.
Peut-être l'entrée.
ou alors dans l'incer-
tain le casuel de
la sole.

Yseult Krand

merde
Sauce au vin et
déliquescence —
ah!
Et puis....
Et puis les cyanures
et les Olympes.
C'est atroce ....
ah!
ah! que la mer est
belle!

ugène.

4 ✕ 8

391

FEMME!

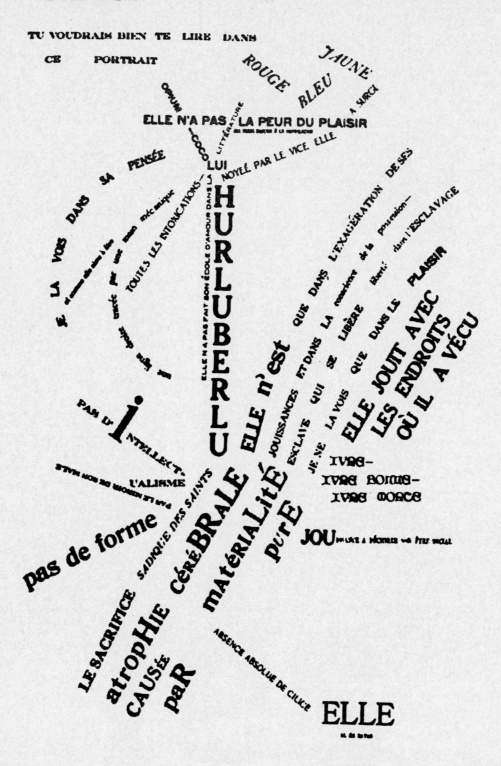

TU VOUDRAIS BIEN TE LIRE DANS CE PORTRAIT

ELLE N'A PAS LA PEUR DU PLAISIR

ELLE

Rrose Sélavy et moi estimons les ecchymoses des Esquimaux aux mots exquis

CONSTRUCTION

ROSES   CAMERA WORK   GABRIELE BUFFET   BLIND MAN

CARTES   SOIRÉES DE PARIS   DADA   WALTER CONRAD ARENSBERG

ALFRED STIEGLITZ

PHARA MOUSSE   CROTTI   MARIUS DE ZAYAS

TRISTAN TZARA   391

291   LOUÉ   VARÉSE

MARCEL DUCHAMP   AISEN   GUILLAUME APOLLINAIRE

FRANCIS PICABIA   RIBEMONT DESSAIGNE

MOLÉCULAIRE

j'ai horreur de la peinture
de Cezanne
elle m'embête.

Francis Picabia

GEGEN DIE AUSBEUTER!!

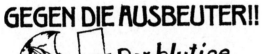

Der blutige Ernst

TÖDLICHE WIRKUNG!!

HIEBE durch die dickste HAUT

Heft 60₰

GEGEN DIE BÜRGERLICHEN IDEOLOGIEN!

HERAUSGEBER
CARL EINSTEIN
GEORGE GROSZ

SATIRISCHE WOCHENSCHRIFT

„DER BLUTIGE ERNST"
POLITISCH-SATIRISCHE WOCHENSCHRIFT

„Der blutige Ernst"

Peitscht die Müssiggänger

Der blutige Ernst

Der blutige Ernst

„Der blutige Ernst"

„Der blutige Ernst"

„Der blutige Ernst"

„Der blutige Ernst"

tödliche Wirkung

„DER BLUTIGE ERNST"
TRIANON-VERLAG, G.m.b.H., BERLIN W.9

Selbstbildnis von George Grosz

Was ist dada?

Eine Kunst?, Eine Philosophie? eine Politik?
Eine Feuerversicherung?

Oder: Staatsreligion?

ist dada wirkliche Energie?

oder ist es ☞ Garnichts, d. h.

alles?

noch an der paranoischen Idee laborierte, dass er der Präsident der Welt sei, lehnte meinen Vorschlag ab und kam selbst mit seinem Friedensangebot heraus, was natürlich gänzlich verfehlt war Ich ging jetzt direkt an die Front nach Flandern, setzte mich an die Spitze der Truppen, aber die Etappe fiel mir in den Rücken, man schleppte mich in den Jusizpalast der Vierten Armee-Inspektion nach Gent, internierte mich in der Kaiser-Wilhelm-Kaserne und die Folgen kennt man. Czernin schrieb in Wien seinen geheimen Bericht an den Kaiser Karl; der Bericht gelangte in die Hände der Entente; Wilson wurde ersucht, dem deutschen Volke klar zu machen, dass der Präsident von Amerika die Sorge für sein Wohl übernommen und jede weitere Bemühung in Deutschland überflüssig sei. Vergebens machte ich am 19. September 17 meinen Besuch in Kreuznach. Hindendorf und Ludenburg erklärten mir beide gleichzeitig, meine geistigen Tanks seien ganz ungefährlich, und sie übernähmen nach wie vor jede Garantie für den Sieg. Gegen diese Verblendung gab es kein Mittel mehr. So trat ich im Frühjahr 1918 zum Dadaismus über. Man ernannte mich zum Oberdada. Aber statt dass man am 9. November vernünftig geworden wäre, und, nun die Bahn frei war, mir das ehemals kaiserliche Schloss eingeräumt und mich zum Diktator des Proletariats ernannt hätte, lehnte Liebknecht die deutsche Präsidentschaft, die ihm Adolf Hoffmann auf dem Balkon des Schlosses anbot, ab; am 17. November versuchte ich im Dom eine letzte Klärung der Sachlage; Adolf Hoffmann, der damals im Kultusministerium sass, und zu dessen Ressort die Angelegenheit gehörte, liess mich im Stich, und so wurden Karl Liebknecht und Rosa Luxemburg am 15. Januar im Edenhotel ermordet. Dann folgte ein Schlag auf den andern. Am 7. Mai wurde der Friedensvertrag in Versailles überreicht, nachdem ich am 19. April vergeblich im Reichsministerium persönlich meine Karte abgegeben und festgestellt hatte, dass ich nicht tot bin, auch wenn die Presse mich für tot erklärt hat. Aber wieder redete ich vergeblich. Scheidemann und Ebert wussten alles besser, bis zum 28. Juni. Doch inzwischen war unser

Direktion r. hausmann
Steglitz zimmermann
strasse 34

DER dada

50 Pfg.

dadadegie hausmann - baader

3/ 3333/3333   5,0

13:7 – 1,85714285....
60 40 50 10 30 20 60 40

Ach 3,14159

5.9.2.1 8.3.4.7.10.11.6

16.305

Jahr 1 des Weltfriedens. Avis dada
Hirsch Kupfer schwächer. Wird Deutschland verhungern? Dann muß es unterzeichnen. Fesche junge Dame, zweiundvierziger Figur für Hermann Loeb. Wenn Deutschland nicht unterzeichnet, so wird es wahrscheinlich unterzeichnen. Am Markt der Einheitswerte überwiegen die Kursrückgänge. Wenn aber Deutschland unterzeichnet, so ist es wahrscheinlich, daß es unterzeichnet um nicht zu unterzeichnen. Amorsäle. Achtuhrabendblattmitbrausendeshimmels. Von Viktorhahn. Loyd George meint, daß es möglich wäre, daß Clémenceau der Ansicht ist, daß Wilson glaubt, Deutschland müsse unterzeichnen, weil es nicht unterzeichnen nicht wird können. Infolgedessen erklärt der club dada sich für die absolute Preßfreiheit, da die Presse das Kulturinstrument ist, ohne das man nie erfahren würde, daß Deutschland endgültig nicht unterzeichnet, blos um zu unterzeichnen. (Club dada, Abt. für Preßfreiheit, soweit die guten Sitten es erlauben.)

Die neue Zeit beginnt mit dem Todesjahr des Oberdada
Ad 1
Mitwirkende: Baader, Hausmann, Huelsenbeck, Tristan Tzara.

L'Idéal

Lorsque vous avez en face de vous un Tableau de Velasquez et que lui tournant le dos, vous voyez un Picasso, pouvez-vous constater la distinction entre ces deux Tableaux ?

Vous cessez de voir le Velasquez quand vous tournez le dos. Mais vous conservez subjectivement l'image Velasquez et vous apercevez le Picasso objectivement, d'où s'en suit une critique qui est la racine de l'idéal.

FRANCIS PICABIA.

LUMIÈRE FROIDE
LUMIÈRE CHAUDE — LUMIÈRE

CHALEUR CHAUDE — BRÛLURE
CHALEUR FROIDE

= Energie = MOUVEMENT = MYSTÈRE

Jean Crotti

André BRETON

ROGER VITRAC, directeur d' "aventure"

Le pôle négatif est aussi nécessaire que le pôle actif et les deux extrémités de la ligne droite se touchent dans la circonférence.

Liquidation des Stocks.

1.800 RELIGIONS À VENDRE

La Croyance vient de l'Education
Elle rencontre sa perte dans le raisonnement
Mais la foi ne se trouve que dans le Mystère.

J. CROTTI

ITINERAIRE

Pour aller à Fréjus : L'AUTOBUS
À Cannes : LA CORNICHE
ou Vous : L'ASCENSEUR
au-delà : LA VIE.

BIZAR DE SAINT-RAPHAEL

Grand Solde d'Idées

André BRETON

REELLES OCCASIONS
PRIX SANS PRÉCÉDENTS

Mon Amie n'avait qu'un œil de verre : elle dit DA : aussitôt elle en eut deux de la même couleur. C'est depuis lors que la lune attique tique à l'une des lunes nettes de l'Opéra.

MAX JACOB

PIERRE DE MASSOT

MA GLOIRE

D'OR Je rêve : d'Or je lise : je parle d'or, je les cadrer. Il vit un cadre de zinc. Aussi-tôt y voulut mettre un tableau. Il l'y mit vivant il-li-mi-té-ment.

CH

Les Cubistes qui voulaient à toute force prolonger le cubisme ressemblant à Sarah Bernhardt.

P. P.

Tristan Tzara le perfide a quitté Paris pour le Closerie des Lilas, il est décidé à mettre son chapeau haut-de-forme sur une locomotive : C'est plus facile évidemment que de le mettre sur la victoire de Samothrace.

Ribemont Dessaignes un jour qu'il était à poils mit un chapeau haut-de-forme pour ressembler à une locomotive, le résultat fut piteux. Vauxcelles le prit pour un type de poils — même pas, mes Chers Amis, il avait tout simplement l'air d'un Con !!!

OUI MARCHE

UNE NUIT D'ÉCHECS GRAS

PagE composée par Tristan TZara ✳ hihihihihihihihihi

Réclame pour la

VENTE DE PUBLICATIONS dada
du 10 au 25 Décembre 1920
chez PovoloZKY, 13, rue Bonaparte, Paris

(texte vertical, à gauche) DADA AUJOURD'HUI DADADALINE DA DADADASTE P DADAPHONE DA DA DA DA CHOSE DA DA PARAIT AUJOURD'HUI JÉSUS-CHRIST RASTAQOUÈRE PAR FRANCIS PICABIA

391
N° 6
2 Frs
New-York

mettez le Brodway à Besançon et un petit parfum dans New-York Saluez le timbre poste

391
N° 8
2 Frs
ZURICH
rose

feu économique
rose

l'art est mort

Picabia, Gabrielle Buffet Arp, Tzara, Alice Bailly Pharamousse et le
VAGIN MYSTIQUE
de Zurich

I II III IV V VI VII VIII IX X XI XII

Ne vous pressez pas.
les 25 poèmes
de Tristan Tzara
sont
épuisés

Il ne reste que quelques exemplaires sur hollande. *(tirage 10 exemplaires)*
À 150 Frs

I II III IV V VI VII VIII IX X XI XII XIII XIV XII XI X IX VIII VII VI V IV III II I

MATCH
391
13
Achetez-le dans votre intérêt

Vient de paraître : **HÉLAS**

Francis PICABIA
UNIQUE EUNUQUE
Préface par Tr. TZARA
COLLECTION DADA
Au Sans-Pareil, Paris : 3 fr. 50

La pierre s'exprime par la forme, et parfois la luminosité des facettes, - vibration de l'air parcouru. Je hais la nature Picabia n'aime pas le métier. Ses poèmes n'ont pas de fin, ses proses ne commencent jamais. Il écrit sans **travailler!** présente sa personnalité, ne contrôle pas ses sensations. Pousse dans la chair des organismes.

FRANCIS PICABIA :
La Fille née sans Mère
4 Fr.

Pensées sans langage
3 Fr. 50

La parole fertilise le métal : bolide ou urubu ouragan ourlé et ouvert — Il laisse dormir ses sentiments dans un garage. 3 Fr. 50.

IL Y A DADA ET DADA...........
Un livre de GEORGES RIBEMONT-DESSAIGNES est sous presse. — Lequel ? Ah !.

(bloc vertical) PROVERBE 5 numéros Fr. 2.50 Dir-cœur : PAUL ELUARD Tout est dans tout. Parfait casse-cou

(texte vertical) Max Ernst, vous voilà célèbre. Max Ernst, vous voilà célèbre.
MAX ERNST et BAARGELD
DIE SCHAMADE cryptogramme de l'amour et la jeune (Cologne, 7 fr.)

Serner :
DERNIER DÉRANGEMENT
(Steegmann, Hannovre)
3 Fr.
manifeste dada

L'AMOUR dans le Cœur
Parlez-lui de moi ✳✳

Une homme dessin. cub. ou tr. bureau très bon. réf. Tout le monde collabore, Toute le monde lit. Tout le monde mange. Personne ne vous met l'amour dans le cœur parlez-lui de moi. Lisez Cannibale. Le secret de Rachilde de Foch de la Mercer les origines secrètes de Dada-band. La tête sur le chapeau. Exempl. de luxe à 10 frs. Garantis.

N° 1 N° 2
1 Fr. 1 Fr.
Directeur : Francis PICABIA

(texte vertical) CANNIBALE

La Revue
BLEU
de Mantoue, courag-usement dirigée par Cantarelli et Fiozzi va devenir l'organe dada italien M.e Renée Dunan la célèbre philosophe, écrit que Dada n'est pas une métaphysique mais une ypopsychie. Bleu ouvre un concours pour la meilleure explication de L'YPOPSYCHIE

!! Je ne vous conseille pas D'ACHETER

(texte vertical) ELLE est épuisée de luxe exempl. coûtent 25 fr. LES

DIVORCE RAPIDE 90 à l'heure

(losange) Vient de paraître ? ALMANACH DADA Berlin. coll. Erich Reiss, Dermée Citroën, Picabia, Mehring, Arp, Huelsenbeck, Tzara, Heartfield, Ribemont-Dessaignes Lacroi, d'Arezzo Delmonides, Hausmann etc. JÉSUS CHRIST RASTAQUÈRE par Francis **PICABIA**

Chez POVOLOZKY 5 FR. 1000 exemplaires de luxe et un seul sur papier ordinaire il y a un tirage spécial sur papier doux et transparent pour décalquer la Sainte VieRge.

CINÉMA CALENDRIER DU CŒUR ABSTRAIT
par TRISTAN TZARA
19 Bois par ARP
Collection Dada
tirage limité

10 exempl. sur Japon 150 Frs.
200 exempl. sur papier à la forme 25 Frs.
Adresser les commandes au " Sans Pareil "
37, Av. Kléber, Paris

Paul Bourget écrit sur ce livre :
Il faut absolument lire ce livre merveilleux

Henri Lavedan écrit sur ce livre :
Il faut lire ce livre. Tzara est un sinistre farceur

Henri Bordeaux écrit :
Il faut lire ce livre sur un champ de violettes.

Picasso écrit :
Arp est le plus grand graveur sur bois

Anatole France écrit :
Tzara est un idiot, son livre un attentat aux mœurs

FRENCH CANCAN
RIO TINTO
MERCI
I LOVE YOU

(boîte) Réclame pour moi Tristan tzara

(texte vertical) Un écrivain qui n'a pas de machine à écrire n'est pas un écrivain mais un parfum en vogue

La solution de tous les mystères de l'univers
Des recettes contre :
la famine,
la blennorragie
les indispositions de l'estomac cérébral,
le dadaïsme de l'Académie Française,
les bordels mal exploités,
la peste de Constantinople et les expositions de peinture de Paris.

DADA 3
Fr. 1.50
Edition de Luxe
20 Fr.
Occasion, Situation, Expropriation

ARP :
La Pompe à nuages
(Steegmann Hannovre)
3 Frs

voici le célèbre Arp
le voici venir
voici le célèbre Arp
le voici venir venir venir

(texte vertical) BRAVO ! BRAVO !

DADAPHONE
Prix 1 fr 50

messieurs mesdames achetez entrez achetez et ne lisez pas vous verrez celui qui a dans ses mains la clef du niagara l'homme qui boite vous verrez les hémisphères dans une valise la sœur enfermée dans un lampion chinois vous verrez vous verrez vous verrez la danse du ventre dans la seringue de massachoussets celui qui enfonce le clou et le pneu se dégonfle les bas de soie de mademoiselle atlantide la maille qui fait 6 fois le tour du monde pour trouver le destinataire monsieur et sa fiancée son frère et sa belle-sœur vous trouverez l'adresse du menuisier la montre à crapauda le nerf en acajou-papier vous aurez l'adresse de l'éponge mineure pour le sexe féminin et de celui qui fournit les photos obscènes au roi ainsi que l'adresse de l'action française.

J. EVOLA
ARTA ASSTRATTA
Collection DADA. ROME. 2 Frs.
Théorie Poèmes, dessins.

Bulletin Dada
2 Frs 2 Fra

2 Frs 2 Frs 2 FR 2 fr 2 FR 2FR. 2 Frs 2 Frs 2 fra 2 FR. 2 FR. 2 fr. 2 Fr. 2 FR. 2. Fr 2. Fr. 2Fr. 2 fr. collaborateurs collaborateurs collaborateurs Ribemont Ribemont Ribemont Picabia. Eluard Eluard.Eluard, Picabia Serner Serner Bre'on Breton Serner Breton Tzara Dermée Dermée Aragon Soupault Aragon Jacques Edwards Aragon Aragon Arp Picabia Schad Arp Arp

THéâtre MICHEL
40 rUe Des' mathurINS

venDredI 6 et saMedI 7
juiLLet
1923

SOIRéE
DU COeUR
À BARBE

la grande semaine
a été prolongée
jusqu'au 7 juillet

OcatiOn :

ORGANISée paR TCHéREZ !

PRIX
Une place de loge .... 30 fr.
Fauteuil d'orchestre...... 25 fr.
Fauteuil de balcon
     1er rang...... 15 fr.
Fauteuil de balcon......... 12 fr.

Bernheim Jeune, 25, Bd de la Madeleine
Durand, 4, Place de la Madeleine
Povolozky, 13, Rue Bonaparte
Au Sans Pareil, 37, Avenue Kléber
Six, 5, Avenue Lovendal
Paul Guillaume, 59, Rue la Boëtie
Librairie Mornay, 37, Bd Montparnasse
Paul Rosenberg, 21, Rue la Boëtie
et au Théâtre Michel, Tél. : Gut. 63-30

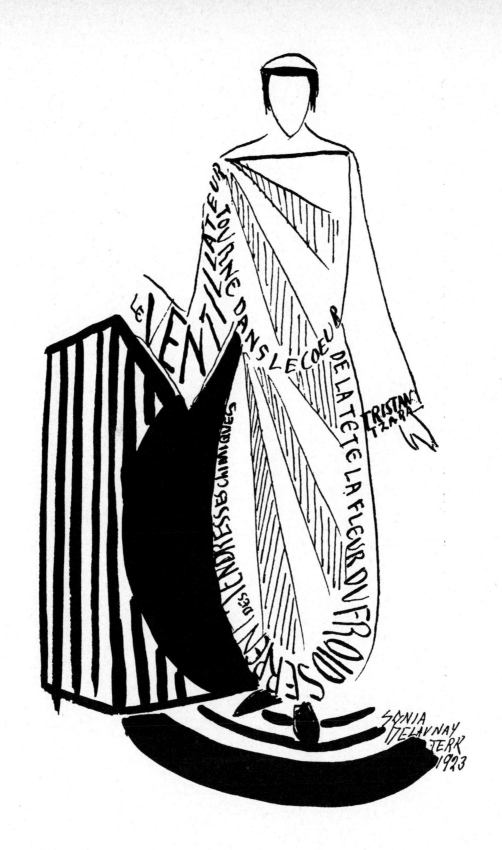

W W
P B D
Z F M
R F   R F
T Z P F   T Z P F
M W T
R F M R
R K T   P C T
S W   S W
K P T
F   G
K P T
R   Z
K P T
R Z L
T Z P F   T Z P F
H F T L

priimiitittii.

priimiitittii tisch
tesch
priimiitittii tesch
tusch
priimiitittii tischa
tescho
priimiitittii tescho
tuschi
priimittii
priimiitittii
priimiitittii too
priimiitittii taa
priimiitittii too
priimiitittii taa
priimiitittii tootaa
priimiitittii tootaa
priimiitittii tuutaa
priimiitittii tuutaa
priimiitittii tuutaatoo
priimiitittii tuutaatoo
priimiitittii tootaatuu
priimiitittii tootaatuu

PROSPEKT BIURA REKLAMA MECHANO

WYSZUKANA I WYKWINTNA

MOKKA MLECZNA

PLUTOS

SZECHEREZADY

Jedząc ją przeżywamy cudowne nieopisane bajeczne

SMAKOSZOSTWA

Jest najbardziej egzotyczna

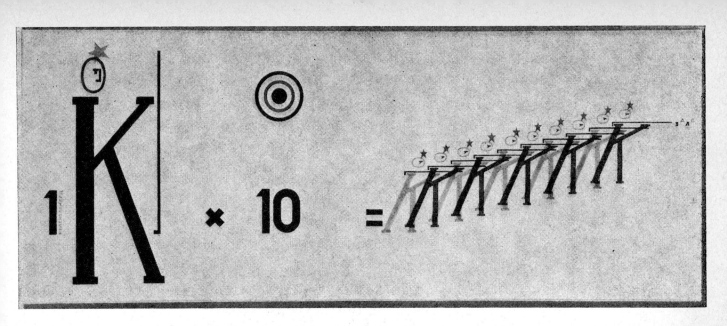

DE LA VIOLENCE

A LA POÉSIE

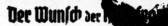

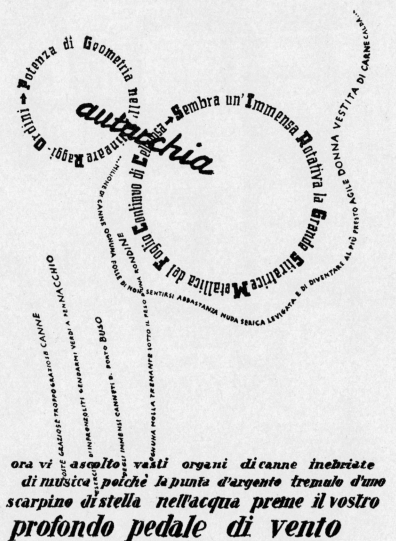

ora vi ascolto vasti organi di canne inebriate
di musica poichè la punta d'argento tremulo d'uno
scarpino di stella nell'acqua preme il vostro
profondo pedale di vento

C'EST LUI QUI rôde
ET MÈNE SUR LES VASES
SANS
dANS LA NUIT PRÉHUMAINE
d'OÙ NOUS
LUI QUI RELIE-RAIT LA FAUNE
irRESpiRABLES SON
y PEUX FAITS POUR LE SOLEIL,
SORTONS
MALAiSÉMENT
ET LES abANRECsidNi denSES
AVEUGLE sesbas ed
OMBRES
AUX CHOSES de joiE?
L'INVI
TATION
AUX
PURES
BEAUTÉS
ET LA
PROMESSE QUE TOUTE VIE PEUT TROUVER
LE COEUR,
PARfois L'ESPRIT, souvent
LE RÊVE,
SANS ORPHÉE ET SON
LE SANG NOUS ÉTOUFFERAIT... SA NOTE de
SEMIS de
CRISTAL,
MÜSIQUE...

T T T T T

tempo

primo tempo

secondo tempo

F

F

F

F

fine

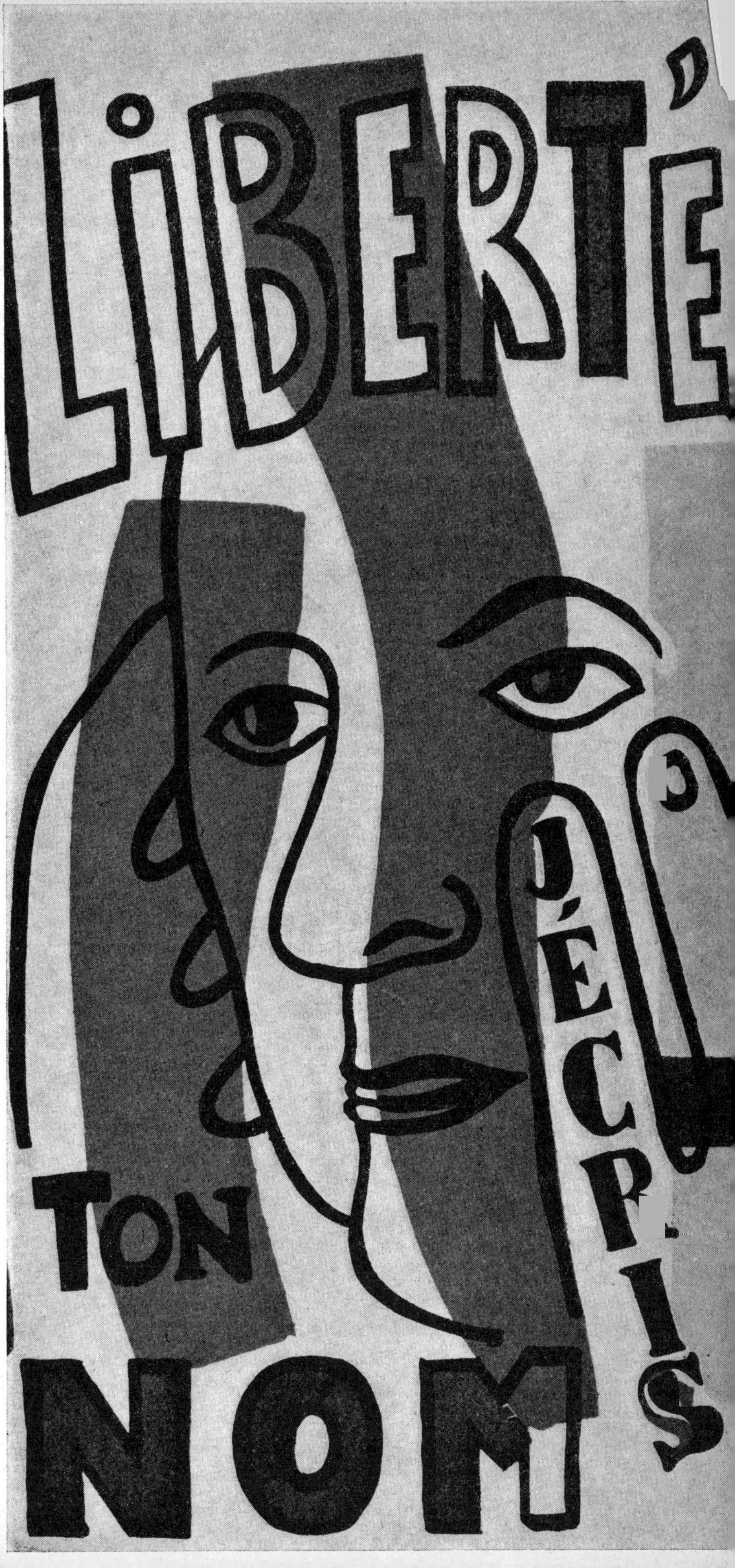
LIBERTÉ
J'ÉCRIS
TON
NOM

```
•  •  •   •  •  •
•  •  •   –   •  •
•  •  ?  –  •  •  •
•  •  •  0  •  •  •
•  •  •  0  $  •  •
$  +  0  •  •  •  •
$  +  0  =  0  ?  •
?  $  +  $  =  $  $
$  –  $  =  0  +  0
?  ?  ?  ?  ?  ?  %
$  +  %  =  $  $  %
%  +  %  =  $  %  %
%  %  %  %  %  %  !

    $  $  $  $
    $  $  $  $
    $  $  $  $
    $  $  $  $
    ‾‾‾‾‾‾‾
    %  %  %  %

%  %  %  %
%  %  %  %
%  %  %  %
%  %  %  %
‾‾‾‾‾‾‾
$  $  $  $
    %  $  %  $
    $  %  $  %
    %  $  %  $
    $  %  $  %
    ‾‾‾‾‾‾‾
    %  %  %  %

    ?  ?  ?  ?
```

WAR

USTEN SILES
UTOPIQUES

Biography in 100 words.

```
              Born
            on a pl
          anet call
            ed eart
              h
    in a small country wh
    ere 10 million people
    believe they know bet
    ter        than     the
    rest      100      000
    of       them      wri
    te      poems      eve
    ry        day       I
    follow suit bu
    t would rather
    sail on blue s
    eas and catch
    fish     under
    water    once
    Icou     gt a
    101b     -er
    and      twic
    e I      wrote
    abook    detai
    lsto     be fo
    und      inbio
    and      bibli
    ogra     phies
```

I have been in prisons churches   coalmines universities wars and
revolutions - but so have other   people. Quote: I live and others
died in that already. My name   is Thomas George J. Kabdebo .

am a peasant of the global village r
eady to sow my seed in the soil of t
he universe. My hue is a computer qu
adrolingual mental, ten on the tenth
capacity. My cry is a "why"? for mus
hroom patterned global, for contrac
eptive oral, for foetus killing tota
l stupidity. I am a peasant of the g
lobal village ready to sow my seed i
n the soil of the universe. It was q
uite enough for twohundred milliardy
ars tackling all fears humusbound. A
gainst all odds: pestilence perversi
ty micro - and macro - cosmic perils
I have survived. Mentally sane and m
orally sound. I am a peasant of theg
lobal village ready to take off andc
onquer the universe.How was I planne
d by what cosmic incident? Am I a sl
ave of physical laws? Am I true judg
e of galactic accidents? creations v
ibrations multiplications? Am I a so
urce of mass plus energy texture ore
ontext o God what am I what am I? am
I destined to live all forms forever
or am I a cell to wither and die? "
You are a soldier in the global regi
ment. Ready to fight and ready to fi
ght." Why? is my behaviour ritualise
d? And why am I judged attitudinised
. My skin is extended to cover the e
arth, my spirit's extended to cover
all space and I am extended to cover
all time.Like Taliesin. I can if I w
ant to pun all the way or draw conun
drums all up and down and all to and
fro in circles in bubbles I hide all
troubles and all of your troubles in
symbols and signs and squiggles ands
quaggles. I write with my left handI
write with my foot - in feet if youl
ike on all houses in the street andc
an if i want to trite in rhyme or wr
ite in grime in languages as many as
six at a time. I can sound horns and
I can sound messages, purple and pun
y and multifold messages. But wherew
ould that lead you and where would I
go? Reason is needed not only chaos,
order not muddle so that we all mode
l our lifes on the infinite treasure
s of man.I am a peasant of theglobal
village unreason is treason for me.M
y brainwaves are searchlights rightu
pon the sky; picking out stars as th
ey constellate and the rays of the s
tars like electrons and photons bomb
ard my being: my brain is the bait.M
y legs are extended I leep to the sk
y my feet I can use for gliding andw
alking and swimming through all thee
lements; my hands will transform inh
abitable stars and make them all hum
an all human tenements.I am a peasan
tof the global village and I want to
build millions of villages all round
the universe.Killing by whatever mea
ns is a curse: vasectomy, contracept
ion family planning atomic bombs kni
ves abortion castration one is justb
etter the other is worse.I am a peas
ant of the global village grimy oldf
ashioned and superstitious to the co
re.But I want toinhabit the universe

I
```
```

you need more

HE NEEDS

HE NEEDS

take

Give him

Give him

give him

give him

Give him

give him

give you

give your hair

give your hair

to give your hair

HAIR

HAIR

hair

For hair

over Hair

coming over Hair

lovely hair

Softness

Softness

Softness

Softly

Softly

smooth

hands soft and smooth

hands soft and smooth

YOUR HANDS WILL EVER NEED

HANDS?

smoother

two ways smoother

Why hold
his hand
so
tightly?

Softer, lovelier
hair for you...

YOU'LL LOVE

castles

LE POEME ALPHABETIQUE

réalisé 20 siècles après J.-C., soit après une très longue réflexion

aaaaaaaaaaaaaaaaaaaaaaaaaaaaaaaaaaaaaaaaaaaaaaaaaaaa
bbbbbbbbbbbbbbbbbbbbbbbbbbbbbbbbbbbbbbbbbbbbbbbbbbb
ccccccccccccccccccccccccccccccccccccccccccccccccccÉccc
ddddddddddddddddddddddddddddd ddddddddddddddddddddddd
eeeeeeeece eeeeeeeeeeeeeeeeee eeeeeeeeeeeeeeeeeeeeeee
fffffffff fffffffffffffffffff fffffffffff ffffffffff
ggggggggg ggggggggggggggggggggg gggggggggg gggggggggg
hhhhhhh hhhhhhhhhhhhhhhhhhhhhhh hhhhhhh hhhhhhhhhhh
iiiiii iiiiiiiiiiiiiiiiiiiiiiiiiiii iiiii iiiiiiiiiii
jjjjjj jjjjjjjjjjjjjjjjjjjjjjjjjjjjjj jjj jjjjjjjjjjjj
kkkk kkkkkkkkkkkkkkkkkkkkkkkkkkkkkkk k kkkkkkkkkkkkkk
lll lllllllllllllllllllllllllllllllll lllllllllllllll
mmmmmmmmmmmmmmmmmmmmmmmmmmmmmmmmmmmmmmm mmmmmmmmmmmmmmm
nnnnnnnnnnnnnnnnnnnnnnnnnnnnnnnnnnnnnnnn nnnnnnnnnnnnn
ooooo oooooooo oooooooooooooooooooooooo ooooooooooooo
oooo oooooooooo ooooooooooooooooooooooo ooooooooooo
ppp ppppppppppppp ppppppppppppppppppppppppppp ppppppppppp
qqqqqqqqqqqqqqqqqqq qqqqqqqqqqqqqqqqqqqqqqqqqq qqqqqqqqq
rrrrrrrrrrrrrrrrrrrr rrrrrrrrrrrrrrrrrrrrrrr rRRRRRRR
ssssssssssssssssssssss sssssssssssssssssssssssss SSSSSSS
ttttttttttttttttttttt ttttttttt ttttttttttttttt tttttt
UUUUUUUUUUUUUUUUUUUUUUU UUUUUU UUUUUUUUUUUUUUUU uuuuu
vvvvvvvvvvvvvvvvvvvvvvvv vvvv vvvvvvvvvvvvvvvvvv vvvv
wwwwwwwwwwwwwwwwwwwwwwww ww wwwwwwwwwwwwwwwwwww wwww
xxxxxxxxxxxxxxxxxxxxxxxx x xxxxxxxxxxxxxxxxxxx xxxx
zzzzzzzzzzzzzzzzzzzzzzzzzzzzzzzzzzzzzzzzzzzzzzzzz zzzz

abcdefghijklmnopqrstuvwxz

il manque toujours l'y

yyyyyyyyyyyyyyyyyyyyyyyyyyyyyyyyyyyyyyyyyyyyyyyyyyyyyy
q u e l l e   i m p o r t a n c e

hc65

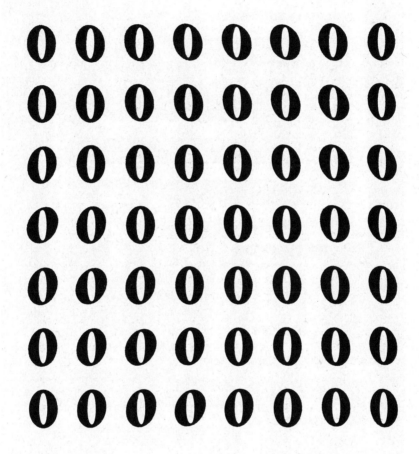

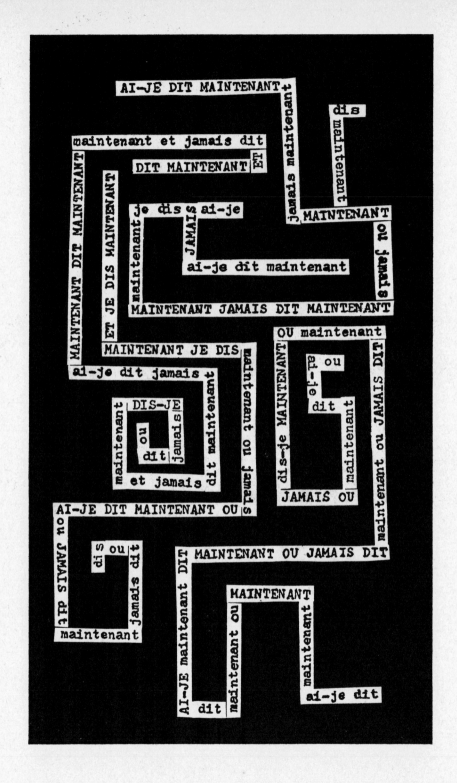

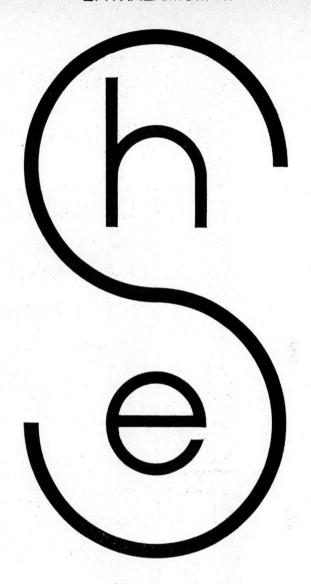

he & she
or
s = serpens
h = homo
e = eva

pedro
xisto
brazil '64
india ink by stroeter

mineral mineral mineral mineral mineral mineral mineral mineral mineral
mineral mineral mineral mineral mineral mineral mineral mineral mineral mineral
mineral mineral mineral mineral mineral mineral mineral mineral mineral mineral
mineral mineral mineral mineral mineral mineral mineral mineral mineral
mineral mineral mineral mineral mineral mineral mineral mineral
mineral mineral mineral mineral mineral mineral mineral
mineral mineral mineral mineral mineral
mineral

mineral
mineral mineral mineral mineral mineral
mineral mineral mineral mineral mineral mineral mineral
mineral mineral mineral mineral mineral mineral mineral mineral mineral
mineral mineral mineral mineral mineral mineral mineral mineral mineral mineral
mineral mineral mineral mineral mineral mineral mineral mineral mineral mineral
mineral mineral mineral mineral mineral mineral mineral mineral mineral
mineral mineral mineral mineral mineral mineral mineral
mineral mineral mineral mineral mineral
mineral

mineral
mineral mineral mineral mineral mineral
mineral mineral mineral mineral mineral mineral mineral
mineral mineral mineral mineral mineral mineral mineral mineral mineral
mineral mineral mineral mineral mineral mineral mineral mineral mineral mineral
mineral mineral mineral mineral mineral mineral mineral mineral mineral mineral
mineral mineral mineral mineral mineral mineral mineral mineral mineral
mineral mineral mineral mineral mineral mineral mineral
mineral mineral mineral mineral mineral
mineral

mineral
mineral mineral mineral mineral mineral
mineral mineral mineral mineral mineral mineral mineral
mineral mineral mineral mineral mineral mineral mineral mineral mineral
mineral mineral mineral mineral mineral mineral mineral mineral mineral mineral
mineral mineral mineral mineral mineral mineral mineral mineral mineral mineral
mineral mineral mineral mineral mineral mineral mineral mineral mineral
mineral mineral mineral mineral mineral mineral mineral
mineral mineral mineral mineral mineral
mineral

mineral
mineral mineral mineral mineral mineral
mineral mineral mineral mineral mineral mineral mineral
mineral mineral mineral mineral mineral mineral mineral mineral mineral
mineral mineral mineral mineral mineral mineral mineral mineral mineral mineral
mineral mineral mineral mineral mineral mineral mineral mineral mineral mineral
mineral mineral mineral mineral mineral mineral mineral mineral mineral
mineral mineral mineral mineral mineral mineral mineral
mineral mineral mineral mineral mineral
mineral

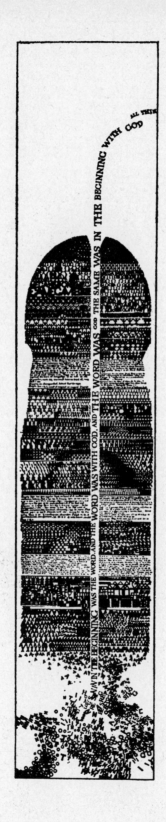

f g h

FAISONS LE POINTAGE.
LAURA SE DISAIT: ÇA TU L'AURAS
PAS. ALORS ÇA!
    ALORS POUR POINPOIN

VOYEZ-VOUS OÙ ÇA MENE LA PEINTURE.
ENCORE QUE POINPOIN
                    PARTAIT
                 AVEC

              POIN ON PRECIS.
         plus detpoinpoin
     avait crée
  poin-poin

              obscu
           du poin
           c'estai
           qu ut
              inte

              il faut
   n'est pas en jeünant
   r ci par la
   de l'on fait

   mise
   point.
   mise
   Il fa
   Lorsq
   les g
   a poi
   photo

Oh   de VOUS LIQUE   A
LA GALERIE J ON VOUS EXPLIQUERA POI PAR
POINT.

Lertim

```
                              K A

                               k
                              alt
                             golde
                            n riese
                            lt der ab
                           gott die st
                          arren augen e
                         ntlang in die m
                        orgenröte graphit
                       ene schläge verhall
                      en im rotspanigen moo
 G                                                              R
 A  s schlangenhäute vers            ieden im sand pest qu
         illt aus der f                  äulnis schemen        F
         stampfen                         brüllen
              g                              l
             ot                             ze
           n bers                          ten k
         repieren am                     baumstumpf
         der schuld tauig               harzt die kiefe
         r in den abgrund le      hmiger stürme von z
         eit und raum de           us meus quare m
         e dereliqui                  sti blut ro
          stet üb                       er golg
          atha                           cruc
          if                              ix
           u                               s
        T                                     R
         I                                   E
```

niesamowity film
ALFREDA HITCHCOCKA
wykonawcy: Rod Taylor
„Tippi" Hedren, Jessica Tandy
Suzanne Pleshette
produkcja: Hitchcock-Universal

Ptaki ptaki ptaki ptaki PTAKI ptaki Ptaki

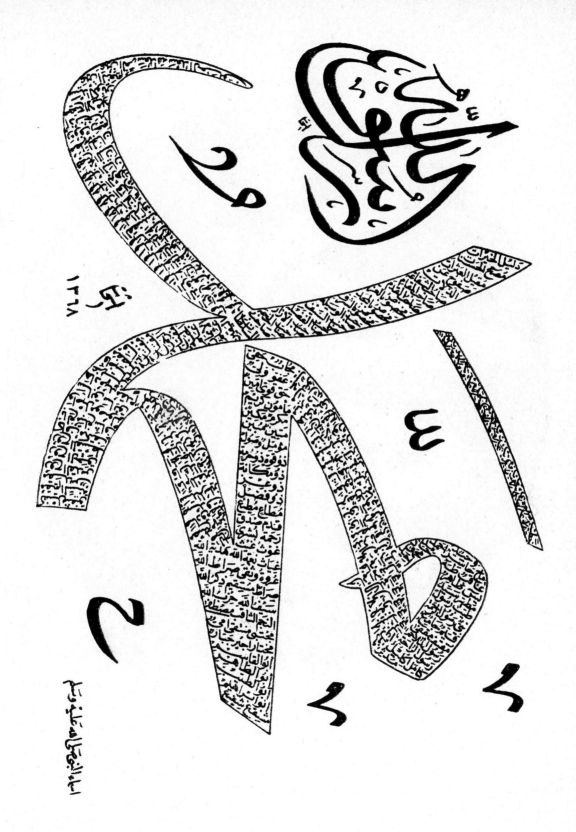

125

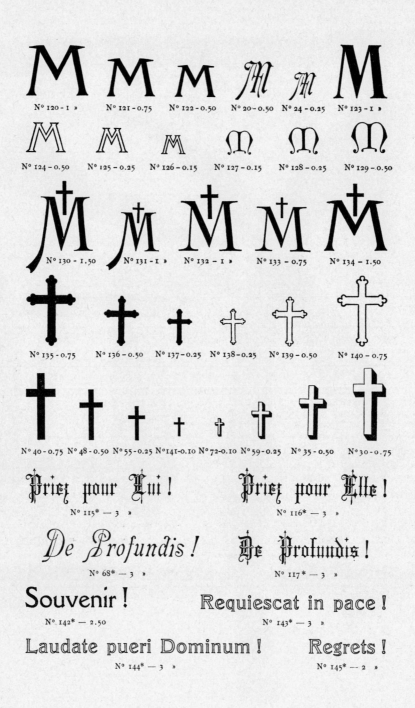

M
Nᵒ 120 - 1 »

M
Nᵒ 121 - 0.75

M
Nᵒ 122 - 0.50

M
Nᵒ 20 - 0.50

M
Nᵒ 24 - 0.25

M
Nᵒ 123 - 1 »

M
Nᵒ 124 - 0.50

M
Nᵒ 125 - 0.25

M
Nᵒ 126 - 0.15

M
Nᵒ 127 - 0.15

M
Nᵒ 128 - 0.25

M
Nᵒ 129 - 0.50

M
Nᵒ 130 - 1.50

M
Nᵒ 131 - 1 »

M
Nᵒ 132 - 1 »

M
Nᵒ 133 - 0.75

M
Nᵒ 134 - 1.50

✝
Nᵒ 135 - 0.75

✝
Nᵒ 136 - 0.50

✝
Nᵒ 137 - 0.25

✝
Nᵒ 138 - 0.25

✝
Nᵒ 139 - 0.50

✝
Nᵒ 140 - 0.75

✝
Nᵒ 40 - 0.75

✝
Nᵒ 48 - 0.50

✝
Nᵒ 55 - 0.25

✝
Nᵒ 141 - 0.10

✝
Nᵒ 72 - 0.10

✝
Nᵒ 59 - 0.25

✝
Nᵒ 35 - 0.50

✝
Nᵒ 30 - 0.75

Priez pour Lui !
Nᵒ 115* — 3 »

Priez pour Elle !
Nᵒ 116* — 3 »

De Profundis !
Nᵒ 68* — 3 »

De Profundis !
Nᵒ 117* — 3 »

Souvenir !
Nᵒ 142* — 2.50

Requiescat in pace !
Nᵒ 143* — 3 »

Laudate pueri Dominum !
Nᵒ 144* — 3 »

Regrets !
Nᵒ 145* — 2 »

TABLE DES ŒUVRES REPRODUITES

BIBLIOGRAPHIE

Essai sur Stéphane Mallarmé par P. O. Walzer, Ed. Seguers, Paris

Les mots en liberté futuriste par Marinetti, Milan 1919

Futurismo par G. Acquaviva, Ed. Gastaldi, Milan 1962

«391» revue de Francis Picabia, réédition, Ed. Le Terrain Vague, Paris

Pagina (revue italienne) No oct. 1963 article de Carlo Belloli, et No 7 étude sur le manuel
de typographie de G. B. Bodoni

Der Quersnit (revue) Berlin 1922

Between poetry and painting, cat. institut of contemporary arts, London 1965

Schwitters et T. Van Dœsburg, Die Scheuche Märchen

Saul Steinberg. The New World. 1960 N. Y. Hamish Hamilton, London

Guillaume Apollinaire. Calligrammes Ed. Galimard, Paris

Jan Tschichold, Die Neue Typographie, Berlin 1928

La revue OU, Paris 1966.

La revue Approches, Paris

De Stijl, édité par Théo Van Dœsburg, 1917-1922

Het Overzicht, revue publiée par Michel Seuphor, Belgique 1920-24

La revue XXe siècle éditée par San Lazzaro, No sur la poésie, Paris

Dada par Verkauf, Janco, Bolliger, Ed. Niggli AG, Allemagne 1958

Dada Kunst und Antikunst par Hans Richter, Ed. Dumont, Cologne 1964

Ce volume a été achevé d'imprimer
le 10 décembre 1966
sur les presses de l'Imprimerie Rod S. A.
à Rolle (Suisse)

Les clichés ont été gravés
dans les ateliers Busag S. A., à Berne